MADEIRA

CHRISTOPHER CATLING

VAN REEMST
UITGEVERIJ

HOUTEN

Links **Funchal Casino** Midden **Bloemenverkopers in Funchal** Rechts **Vaten Verdelhomadera**

Oorspronkelijke titel:
Top Ten Guide to Madeira

Postbus 97
3990 DB Houten
www.capitool.nl

1ste druk 2009

Boekverzorging: *Ottenhof*, Almere
Vertaling en opmaak: Peter Altink, Linda Doornbos
Bewerking: Gon Hokke, Corry Lagewaard
Omslag: Teo van Gerwen-design, Waalre

ISBN: 978-90-475-0659-1
NUR: 512

Inhoud

Het beste van Madeira

De informatie in deze Capitool Compact Madeira wordt regelmatig gecontroleerd en aangepast.
Alles is in het werk gesteld om ervoor te zorgen dat de informatie in dit boek bij het ter perse gaan zo veel mogelijk is bijgewerkt. Gegevens zoals telefoonnummers, openingstijden, prijzen, exposities en reisinformatie zijn echter aan veranderingen onderhevig. De uitgever is niet aansprakelijk voor consequenties die voortvloeien uit het gebruik van dit boek.

Omslag: **Corbis** Neil Miller/Papilio ml; **Robert Harding Picture Library** H.P. Merton ol; **Photolibrary.com** The Travel Library hoofdafbeelding. Achter: **Corbis** Hubert Stadler br; **DK Images** Linda Whitwam bm en bl. Rug: **DK Images** Linda Whitwam.

Links **Ribeira da Janela** Midden **Capela dos Milagres, Machico** Rechts **Strand, Porto Santo**

Madeira van streek tot streek

Wegwijs op Madeira

Links **Uitzicht vanaf Bica de Cana** Rechts **Ponta de São Lourenço**

HET BESTE VAN MADEIRA

De hoogtepunten

Madeira is een eiland vol verbazingwekkende contrasten. Van de stadse verfijning van de hoofdstad, Funchal, is het maar een kleine stap naar de oerbossen die de dramatische kliffen en ravijnen van het binnenland bedekken. De vruchtbaarheid van Madeira's bloemenrijke tuinen vormt een scherp contrast met de droogte van de vulkanische hellingen. En niets verschilt zo van elkaar als de vredig kabbelende levadas (kanalen), die water naar de diepste dalen van Madeira voeren, en de donderende golven die op de rotsachtige kust van het eiland slaan. Over Madeira zegt men wel dat alle continenten elkaar hier ontmoeten. Het heeft van alle continenten iets – ook sneeuw.

1 Kathedraal (Sé) van Funchal

De kathedraal, gebouwd met Madeira's vulkanische gesteente en overvloedige houtvoorraden, getuigt van het geloof en de vroomheid van de eerste kolonisten *(blz. 8–9)*.

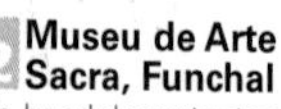

2 Museu de Arte Sacra, Funchal

Via handelscontacten met Antwerpen in de 15de eeuw verkochten Madeira's kooplui hun suiker – zo waardevol dat het 'wit goud' werd genoemd – en kochten ze de fraaie Vlaamse schilderijen en beelden in dit museum *(blz. 10–11)*.

3 Adegas de São Francisco, Funchal

Madeira is beroemd om zijn wijnen, met hun complexiteit en volle smaak. In deze historische wijnherberg kunt u verschillende vintages proeven en een echte maderakenner worden *(blz. 12–13)*.

4 Museu da Quinta das Cruzes, Funchal

Kijk rond in een elegant Madeirees landhuis. Ooit stond hier het huis van de eerste heerser van het eiland, João Gonçalves Zarco *(blz. 14–17)*.

Vorige bladzijden **Zicht op Curral das Freiras, met slangenkruid of 'Pride of Madeira'-bloemen op de voorgrond**

Jardim Botânico, Funchal 6

De botanische tuin laat alle planten zien die goed gedijen in het warme, vochtige klimaat van Madeira, van jungleorchideeën tot cactussen *(blz. 20–23)*.

5 Mercado dos Lavradores, Funchal

De boerenmarkt is een drukke opeenhoping van kleurrijke kramen vol exotische vruchten, geurige bloemen en lokale kunstnijverheidsproducten *(blz. 18–19)*.

7 Quinta do Palheiro Ferreiro

Deze prachtige alleseizoenentuin wordt al tweehonderd jaar uitstekend verzorgd. Bloemen uit de hele wereld worden gepresenteerd in een zwierig Engels tuinontwerp *(blz. 24–25)*.

8 Monte

Vlucht naar een romantische wereld van tuinen, theehuizen en geplaveide paden, waar keizer Karel I zijn ballingschap doorbracht. Keer terug naar de hoofdstad via de spannende tobogganbaan *(blz. 26–27)*.

9 Curral das Freiras

Bij piratenaanvallen verscholen de nonnen van Santa Clara zich in dit groene dal, omringd door steile kliffen – een adembenemend mooie plek *(blz. 30–31)*.

10 Pico do Arieiro

U waant zich hier op het dak van de wereld; kijk neer op de bergketens en ravijnen van het bergachtige binnenland vanaf de op twee na hoogste bergtop van Madeira (1818 m) *(blz. 32–33)*.

Kathedraal (Sé) van Funchal

Op enkele spitsen aan de oostzijde na is de buitenkant van de kathedraal erg sober. Het interieur daarentegen bevat volop beelden, schilderijen en vergulde kapellen, en een plafond met een spectaculair, Moors geïnspireerd knopenpatroon. In de vloer liggen de graven van vroegere bisschoppen en suikerkooplui. De bouw begon in 1493, naar een ontwerp van Pêro Anes met hulp van meestermetselaar Gil Enes. De kathedraal werd gewijd in september 1514, toen Funchal officieel een stad werd, en uiteindelijk voltooid in september 1517.

Kathedraal van Funchal

De kathedraal markeert het sociale hart van Funchal. De terrassen in het zuiden (bij Café Funchal en Café Apolo) zijn populaire trefpunten voor mensen die in het stadscentrum wonen en werken. Het zijn heerlijke plekken om te ontspannen en mensen te kijken.

De kathedraal is nog volop in gebruik als gebedshuis, en bezoek wordt niet gewaardeerd tijdens diensten (werkdagen om 8.00, 8.30, 11.15 en 18.00 uur; zondag om 8.00, 9.00, 11.00, 17.00 en 18.00 uur). Als u een dienst bezoekt, kunt u het normaal duistere interieur zien terwijl het mooi is verlicht.

- *Largo da Sé*
- *Kaart P3*
- *Geopend dag. 9.00–12.15, 16.00–18.00 uur*
- *Gratis*

Hoogtepunten

- ★ Westportaal
- ★ Voorportaal en doopkapel
- ★ Schip en zuidbeuk
- ★ Noordbeuk
- ★ Plafond
- ★ Zuidelijke dwarsbeuk
- ★ Tabernakel
- ★ Zitplaatsen in het tabernakel
- ★ Altaarstuk
- ★ Oosteinde

Westportaal

Koning Manuel I van Portugal (1495–1521) droeg bij aan de bouw van de kathedraal, en zijn familiewapen *(boven)* prijkt boven de gotische deur. Het roosvenster boven de kroon is uit roestrode lokale basalt gehouwen.

Voorportaal en doopkapel

De entree is geplaveid met 16de-eeuwse zwartbasalten grafstenen. Een plaquette *(rechts)* gedenkt het bezoek van paus Johannes Paulus II op 12 mei 1991. Links ligt de gotische doopkapel met de 16de-eeuwse doopvont.

Schip en zuidbeuk

In de vloer ziet u gedenktekens voor bisschoppen en kooplieden, gehouwen uit marmer en basalt. Zij weerspiegelen de 16de-eeuwse Portugese stijl.

Het Portugese woord voor kathedraal is Sé, wat 'zetel' betekent. Dit verwijst naar de bisschopstroon, symbool van zijn macht.

Noordbeuk

Madeira's handelsbetrekkingen met Antwerpen worden weerspiegeld door een ongebruikelijk 16de-eeuws gedenkteken in Vlaamse stijl, in de vloer ten westen van de eerste kapel. Het stelt koopman Pedro de Brito Oliveira Pestana en zijn vrouw Catarina voor.

Plafond

Van inheemse cipressen is een prachtig plafond geconstrueerd in het schip, de beuken en de dwarsbeuken *(boven)*. Het is een van de mooiste voorbeelden in Portugal van de *alfarge*, of 'knoopwerk'-stijl, die Moorse en Europese elementen bijeenbrengt.

Zuidelijke dwarsbeuk

Zonlicht door de ramen verlicht het houten plafond, met zijn eindeloze knooppatronen die arabesken en sterren vormen. Langs de rand ziet u vervaagde figuren, zoals Fortuna met een bollend zeil, centauren en meermannen.

Tabernakel

Het nautische thema is voortgezet in het vergulde plafond van het tabernakel *(rechts)*: een beeltenis van een armillarium (een navigatiemiddel) is te zien tussen geschilderde engelen en bloemenslingers.

Zitplaatsen in het tabernakel

De blauw met gouden koorstoelen zijn in 1510–1511 gemaakt door Olivier de Gand, een Vlaamse beeldhouwer. Ze stellen heiligen en profeten voor, gekleed in de weelderige stijl van rijke kooplui.

Knooppatronen

Dit is een van de weelderigste knooppatronenplafonds van Portugal; het doet niet onder voor het plafond van de kapel van het Koninklijk Paleis te Sintra. Het duizelingwekkende patroon van knopen en ruiten, met uitsteeksels die wel stalactieten lijken, is gebaseerd op de rijke geometrische kunst van de middeleeuwse islam. Een groot deel van Portugal viel van 711 tot 1249 onder Moors bewind. De Moren heersten tot 1492 ook over Andalusië in Spanje, precies een jaar voor de bouw van deze kathedraal begon.

Altaarstuk

Het enorme altaarstuk *(boven)* werd vroeg in de 16de eeuw gemaakt in Lissabon. Binnen de sierlijke gotische omlijstingen ziet u twaalf taferelen uit de levens van Christus en Maria.

Oosteinde

Ga aan de oostzijde naar buiten voor het mooiste zicht op de spits, de ranke siertorentjes en de bewerkte balustrades.

Neem een verrekijker mee als u de details van het plafond en altaarstuk wilt zien. Laat uw ogen even wennen aan het halfduister.

Museu de Arte Sacra, Funchal

U zou het misschien niet verwachten, maar op Madeira bevinden zich enkele van de mooiste Vlaamse meesterwerken ooit geschilderd. De verklaring ligt in de 15de-eeuwse suikerhandel tussen Funchal en Antwerpen. Kooplui en plantage-eigenaren joegen onsterfelijkheid na door altaarstukken voor hun lokale kerk te laten maken, waarbij zij zichzelf en hun familie knielend en biddend lieten afbeelden. De fraai gekleurde schilderijen in dit museum van religieuze kunst omvatten dus ook portretten van enkele van Madeira's eerste kolonisten.

Entree

De renaissancistische *loggia* aan het Praça do Município is verbouwd tot het chique Café do Museu. Dit is een prima plek voor een snack, lunch of vroeg diner; van 10.00 tot 19.30 uur worden er salades, pastagerechten, soepen en lichte maaltijden geserveerd.

- *Rua do Bispo 21*
- *Kaart P3*
- *291-228900*
- *Geopend di–za 10.00–12.30, 14.30–18.00, zo 10.00–13.00 uur*
- *Toegangsprijs € 3*

Hoogtepunten

- ★ Entree
- ★ Processiekruis
- ★ St.-Sebastiaan
- ★ *Laatste Avondmaal*
- ★ *St.-Jacobus*, Dieric Bouts
- ★ *Kruisafneming*, Gerard David
- ★ *Maria-Boodschap*, Joost van Cleve
- ★ *St.-Filippus en St.-Jacobus*, Van Aelst
- ★ *St.-Anna en St.-Joachim*
- ★ *Aanbidding* van Machico

Entree

Het belang van de bisschop voor de lokale maatschappij wordt weerspiegeld door dit elegante paleis, nu het museum. Bezoekers komen binnen door een fraaie hal, met een kiezelvloer met slingers en guirlandes. De barokke stenen trap uit ca. 1750 wordt geflankeerd door vergulde kandelaren.

Processiekruis

Dit exquise staaltje zilversmederij werd in 1514 geschonken door koning Manuel I van Portugal (1495–1521), bij de wijding van de kathedraal van Funchal. De vele gotische nissen zijn gevuld met minuscule heiligenbeelden en taferelen uit het Lijden en de Kruisiging van Christus.

St.-Sebastiaan

Dit vroeg-16de-eeuwse beeld van beschilderd steen, door Diogo Pires, zit vol gaten waar ooit pijlen uitstaken. De Romeinse martelaar Sebastiaan, ter dood veroordeeld om zijn geloof, overleefde de pijlen op wonderbaarlijke wijze, maar werd later onthoofd.

Laatste Avondmaal

Dit tableau in beschilderd hout, bijna op ware grootte, werd voor de kathedraal gemaakt door Manuel Pereira in 1648. Judas, die Christus zal verraden, zit afgezonderd met een zak geld.

Voor religieuze kunstwerken die zich nog op de oorspronkelijke locatie bevinden **zie blz. 40–41**

St.-Jacobus, Dieric Bouts

Deze studie van St.-Jacobus is waarschijnlijk rond 1470 geschilderd in Brugge. De prachtige rode mantel en de bloemenweide typeren de voorliefde van de Vlaamse meesterschilder Dieric Bouts voor kleur en naturalistische details.

Kruisafneming, Gerard David

Maria kijkt verdrietig en gelaten toe hoe haar Zoon van het kruis wordt gehaald in het middelste paneel van deze triptiek uit 1518 *(onder)*. De zijpanelen tonen de schenkers: Simon Acciaiuoli, een koopman uit Florence (met St.-Bernardino van Siena), en zijn vrouw Maria (met St.-Jacobus).

Maria-Boodschap, Joost van Cleve

Dit serene werk (ca. 1515) laat zien dat de Europese handel zich destijds steeds meer uitbreidde: Maria's voeten rusten op een Oosters tapijt en de lelies die haar puurheid symboliseren staan in een Delftsblauwe vaas.

St.-Filippus en St.-Jacobus, Pieter Coecke van Aelst

De schenkers van dit werk *(boven)*, knielend aan weerszijden van het middenpaneel, zijn Simão Gonçalves de Câmara, kleinzoon van Zarco, en zijn vrouw Isabel.

St.-Anna en St.-Joachim

Dit fascinerende, vroeg-16de-eeuwse schilderij uit de School van Antwerpen *(rechts)* zou koning Ladislaw III van Polen *(blz. 37)* en zijn vrouw Senhorina Eanes voorstellen. De koning, bekend als Hendrik de Duitser, deed troonsafstand en werd boer op Madeira in 1454.

Aanbidding van Machico

Dit gedetailleerde werk (ca. 1518) van een onbekende schilder komt uit de kerk van Machico *(blz. 87)*. Het toont Madeirese kooplui en landeigenaren als de Drie Wijzen en hun bedienden.

Vlaamse kunst

Madeiresen die kunst bestelden, reisden waarschijnlijk niet naar Antwerpen of Brugge om te poseren. In plaats daarvan stuurden ze wellicht een schets (door een architect of metselaar op het eiland), of vertrouwden ze op een vriend om de kunstenaar een beschrijving te geven. Hoe dan ook, een exacte gelijkenis was niet het doel. Volgens maniëristisch gebruik benadrukt de schilder van deze *Aanbidding* kenmerkende gelaatstrekken – een grote neus of onderkin – om zijn onderwerpen karakter te geven.

Adegas de São Francisco, Funchal

Er zijn volop plekken op Madeira waar u wijn kunt proeven, maar nergens leert u zoveel over de geschiedenis van deze unieke wijn. Met zijn zware, antieke balken en geplaveide binnenhofjes voelt de Adegas de São Francisco alsof de tijd er heeft stilgestaan. Hij bevindt zich in de resten van een 16de-eeuws franciscanenklooster, dat grotendeels werd gesloopt toen Portugal in 1834 alle religieuze orden verbood. De locatie werd in 1840 gekocht door de familie Blandy (blz. 25) *en sinds die tijd wordt hier maderawijn gemaakt.*

Madera proeven in de Max Romer Tasting Bar

Ten westen van de Adegas ligt een terras in de voormalige kruisgang van het São Franciscoklooster, nu een heerlijk openbaar park.

U kunt altijd zo bij de wijnherberg binnenlopen als deze is geopend. U kunt gratis wijnproeven in het Max Romerproeflokaal zonder een rondleiding te boeken.

- *Avenida Arriaga 28*
- *Kaart P3*
- *291-740110*
- *Geopend ma–vr 9.30–13.00, 14.30–18.30, za 10.00–13.00 uur (Max Romerproeflokaal ook geopend voor de lunch)*
- *Toegang gratis*
- *Rondleidingen: ma–vr 10.30, 14.30, 15.30, 16.30, za 11.00 uur, € 4*
- *Informatieve vintage-rondleidingen: wo, vr 16.30 uur, € 6*

Hoogtepunten

★ Binnenplaats
★ 17de-eeuwse wijnpers
★ Geitenhuiden
★ Zolderkamers
★ Wijnwinkel
★ Wijnmuseum
★ Max Romerproeflokaal
★ Vintagezaal
★ Winkelcentrum
★ De 'oudste straat'

Binnenplaats

De binnenplaats krijgt schaduw van enkele van de langste bananenbomen op het eiland *(boven)*. Hij wordt omringd door drie verdiepingen met zolders, met door wisteria begroeide balkons die steunen op zware houten balken.

17de-eeuwse wijnpers

Tijdens de rondleiding ziet u een traditionele wijnpers waarin een jezuïtisch symbool is gekerfd: een kruis in een driehoek. De wijnhandel op Madeira was tot de laat-18de eeuw in handen van jezuïeten. Daarna namen Engelse en Schotse kooplui het over.

Geitenhuiden

Alle wijn van het hele eiland kwam voor verkoop naar Funchal. De dragers of *borracheiros*, snoepten van de 40 liter wijn die ze vervoerden in geitenhuiden.

Zolderkamers

Zware balken dragen drie verdiepingen met geventileerde zolderkamers *(onder)*. De rijpingsvaten worden verwarmd door de zon. Deze methode, *canteiro*, levert uitstekende wijnen op.

Voor meer informatie over maderawijnen **zie blz. 58–59**

Wijnwinkel

De planken in deze rustieke winkel zijn gemaakt van oude wijnvaten. Er is een ruime selectie wijnen van alle producenten in de Madeira Wine Company, onder de labels Blandy's, Cossart Gordan, Leacock's en Miles. Ook worden er sterkedrank en Madeiragebak verkocht.

Wijnmuseum

Ingelijste lovende brieven van koningen en koninginnen, presidenten en premiers – allemaal liefhebbers van goede maderawijn – sieren de muren van dit museum in het hart van de *adegas*. Ook worden er in leer gebonden inventarisboeken getoond, waarin elke verkoop is opgetekend vanaf de 18de eeuw.

Max Romer-proeflokaal

Zonnige muurschilderingen over de druivenkweek en -oogst sieren de muren van de proefzaal op de begane grond. Ze zijn in 1922 gemaakt door de Duitse schilder Max Romer (1878–1960).

Vintagezaal

In de Vintagezaal worden kostbare wijnen opgeslagen, gerangschikt op datum en achter slot en grendel bewaard. Hier zijn maderawijnen te proeven uit 1908 (€ 698 per fles). Wie dat niet kan betalen, kan een goedkopere en ook zeer smakelijke wijn uit 1970–1980 proberen.

Winkelcentrum

Zoals dat tegenwoordig gaat is de oude kuiperswerkplaats verbouwd tot winkelcentrum. De Madeira Wine Company heeft echter nog altijd kuipers in dienst, om 100 jaar oude vaten te repareren. Zij gebruiken traditionele methoden en zowel nieuw als oud eikenhout.

De 'oudste straat'

De straat langs de oostkant van de *adegas* dateert uit de jaren rond 1400, de begindagen van de kolonisering van Madeira. Ooit werden wijnvaten op een slee over de kinderkopjes gesleept, om ze zo van en naar de haven te brengen.

Maderawijn

Maderawijn heeft twee unieke kenmerken. Ten eerste wordt de wijn, net als sherry en port, 'versterkt' door brandewijn toe te voegen na het gisten. Ten tweede wordt hij tijdens de productie verwarmd. Het voordeel daarvan werd ontdekt toen wijn die tijdens een reis over de evenaar op een scheepsdek had gelegen, een nieuwe, vollere smaak bleek te hebben. Mettertijd leerden wijnmakers dit effect te dupliceren door de wijn te laten rijpen in door de zon verwarmde zolderkamers, zonder dat er een zeereis nodig was. *(Zie ook blz. 59 over* estufagem.)

De madera-industrie kwam bijna ten einde toen in 1851 ranken werden aangetast door schimmel en in 1872 door phylloxera (druifluis).

Museu da Quinta das Cruzes, Funchal

De eerste kolonisten bouwden huizen op de heuvels boven de haven, zodat ze piratenschepen zagen naderen. Een zo'n landhuis is de Quinta das Cruzes. Het werd oorspronkelijk gebouwd door kapitein Zarco (blz. 36) *en in de 19de eeuw herbouwd tot woonhuis voor de familie Lomelino. Nu is het een antiek- en kunstmuseum. Een excursie naar de Quinta is te combineren met een bezoek aan de Convento de Santa Clara* (blz. 16–17), *dat op loopafstand ligt.*

Museu da Quinta das Cruzes

Er ligt een geweldig theehuis op de binnenplaats van de Universo de Memórias (dat zelf ook een bezoek waard is), tegenover de ingang van de Quinta. Drink een kop thee bij de fontein, op een terras omgeven door bloemen en klimplanten.

Er worden vaak concerten opgevoerd in de Museu da Quinta das Cruzes; let op de posters bij de kassa.

Het wandelpad naar het museum is erg steil, en er is geen bus; wellicht wilt u een taxi nemen.

- *Calçada do Pico 1*
- *Kaart N2*
- *291-740670*
- *di–za 10.00–12.30, 14.00–17.30, zo 10.00–13.00 uur*
- *Toegangsprijs € 2*

Hoogtepunten

1. Archeologisch park
2. Ramen in manuelstijl
3. Orchideeëntuin
4. Kapel
5. Handelswaren
6. Salons
7. *Picknick*, Tomás da Anunciação
8. Palankijn
9. Suikerkistmeubels
10. Zilvercollectie

1 Archeologisch park

De tuinen ten zuiden van de Quinta *(boven)* fungeren als openluchtmuseum voor antieke metselkunst. Let op het voetstuk van Funchals schandpaal uit 1486. Tot 1835 werden misdadigers hieraan vastgeketend en geslagen.

2 Ramen in manuelstijl

De stenen raamkozijnen in de tuin *(rechts)* zijn fraaie voorbeelden van deze stijl, geïnspireerd op de ontdekkingsreizen onder koning Manuel I van Portugal (1495–1521). Ze tonen geknoopte scheepstouwen, leeuwen en een drager met een geitenhuid vol wijn op zijn hoofd.

3 Orchideeëntuin

Een statige oude drakenbloedboom *(blz. 21)* groeit dwars door het dak van het schaduwhuis, achter in de tuin van de Quinta. Hier worden tropische orchideeën gekweekt voor gebruik als snijbloemen.

4 Kapel

De tombe van Urbano Lomelino *(boven)*, een vroege suikerkoopman, werd door zijn nakomelingen naar de kapel verplaatst toen zij in 1678 het landgoed erfden.

5 Handelswaren

Voor de ingang van het hoofdgebouw worden handelswaren uit het 19de-eeuwse Portugese rijk tentoongesteld, zoals een zijden sprei met geborduurde tropische bloemen, een ivoren beeld van een boeddha-achtig kindje Jezus, en een altaarfront met tijgers.

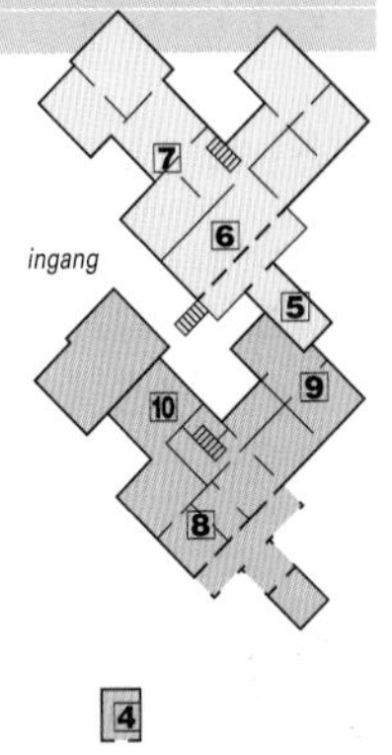

Symbolen

- Begane grond
- Eerste verdieping

6 Salons

Zarco's oorspronkelijke landhuis was druk in gebruik als boerderij en administratief centrum. De familie Lomelino paste het huis ingrijpend aan in het begin van de 19de eeuw. De ruime salons werden daarbij gevuld met Engels chippendale-meubilair en fraaie schilderijen.

Kapitein Zarco

João Gonçalves kreeg de bijnaam Zarco, 'Schele', nadat hij een oog verloor bij de Slag bij Ceuta in 1415. Hij plantte de Portugese vlag op Porto Santo in 1419 en op Madeira in 1420. In 1425 kwam hij met mensen, zaden en gereedschappen naar Madeira om zich hier te vestigen. Zarco heerste over de zuidwestelijke helft van het eiland en zijn medekapitein, Tristão Vaz, over het noordoosten na Machico. Zarco's helft bleek een betere haven te hebben, die uitgroeide tot hoofdstad. In 1467 stierf Zarco op de mooie leeftijd van 80 jaar.

7 *Picknick,* Tomás da Anunciação

Picknick (boven), door de oprichter van de Portugese school van landschapskunst, stamt uit 1865. U ziet de familie van de 2de graaf van Carvalhal op hun landgoed, Quinta do Palheiro Ferreiro *(blz. 24)*.

8 Palankijn

Een 19de-eeuwse palankijn, waarmee een rijke dame door Funchal werd gedragen, staat in de kelder. Ook hangen hier Engelse karikaturen van Funchals doorvoede priesters en overdreven geklede gezaghebbers.

9 Suikerkistmeubels

Braziliaanse suiker bracht een eind aan de Madeirese suikerhandel. Mahoniehouten kisten waarin suiker werd vervoerd, werden verwerkt tot kasten *(rechts)*, te zien in de kelder.

10 Zilvercollectie

U vindt de collectie historisch zilver in de kelder. Topstukken zijn een paar Mexicaanse slavenfiguren van zilver en ebbenhout (eind 18de eeuw) en twee Britse babyrammelaars van zilver en koraal (midden 18de eeuw).

Links **Laagkoor** Midden **17de-eeuwse tapijttegels, Kerk van Santa Clara** Rechts **Hoogkoor**

Convento de Santa Clara, Funchal

1 Poort

Het wapen van de franciscanen is te zien in het 17de-eeuwse stenen medaillon, boven de houten deuren van de poort. Bel aan om toegang te krijgen. *Calçada de Santa Clara 15 • Kaart N2 • 291-742602 • Geopend ma–za 10.00–12.00, 15.00–17.00, zo 10.00–12.00 uur • Toegangsprijs € 2*

Santa Claraklooster

1 2 3 4 5 6 7 8 9 10

2 Kruisgang

Deze vredige plek gaf toegang tot de kapellen en bidvertrekken waar de nonnen hun dagen in gebed doorbrachten. Bewonder hier de koepel van de klokkentoren, die is versierd met 17de-eeuwse blauwe, witte en gouden keramische tegels.

3 Graf van de abdis

Een grafsteen met gotisch schrift markeert het graf van de eerste kloosterabdis, Isabel de Noronha, en haar zuster Constança. Uit nederigheid kozen deze dames van hoge komaf (hun grootvader was Zarco – *blz. 36*) ervoor om te worden begraven in een gang, waar nonnen elke dag over hun graven zouden lopen.

Kruisgang

4 Hoogkoor

Groene Moorse tegels bedekken de vloer van deze lange zaal, met een plafond met knooppatronen en een verguld altaar met Mariabeeld. Dit was de plek voor het dagelijks gebed voor de eerste gemeenschap van arme clarissen (zusterorde van de franciscanen), die in 1497 vanuit Portugal naar Santa Clara kwamen.

5 Laagkoor

Het laagkoor bevat houten koorbanken uit 1736, versierd met gevleugelde engelen en grappige dierenkoppen. De beschilderde troon was bestemd voor de bisschop en voor het hoofd van de franciscanenorde, als een van hen het klooster bezocht.

6 Raster

Door het ijzeren raster in de oostmuur van het laagkoor hoorden de kerkgangers het gezang van de nonnen, en hoorden de nonnen de mis van de priester. Verder hadden de nonnen geen contact met de buitenwereld.

Neem vanaf de Quinta das Cruzes (blz. 14–15) *de Calçada do Pico in de richting van Funchal; het klooster ligt aan uw rechterhand.*

7 Zarcomonument

Aan de oostkant van het laagkoor staat een kist in de vorm van een grafkist. Dit is een replica van het monument dat ooit in de hoofdkerk stond, op het graf van Zarco *(blz. 15)*. Het werd in 1762 verplaatst omdat de priesters er steeds over struikelden.

8 Kruisbeeld

De grote schildering van Christus aan het kruis, in de westkant van het laagkoor, herinnerde nonnen eraan dat hun ongemak in het niet viel bij zijn lijden. Nog treffender is een 17de-eeuws houten Christusbeeld dat in het altaar ligt, als ware het zijn graf.

9 Kerk

Het openbare deel van de kerk is bedekt in fraaie, 17de-eeuwse tapijttegels met complexe motieven. Het prachtige zilveren tabernakel op het altaar dateert van 1671.

10 Monumenten

Achter in de kerk markeert een stenen sarcofaag, gedragen door kruipende leeuwen, het graf van Zarco's schoonzoon Martim Mendes de Vasconcelos (gestorven 1493). Zarco zelf (die in 1467 stierf, *zie blz. 14, 36*) is begraven voor het hoofdaltaar. Zijn grafsteen is echter verborgen onder een moderne houten vloer.

Kerk van Santa Clara

Het Santa Claraklooster wordt omringd door hoge muren, die de nonnen moesten beschermen tegen nieuwsgierige blikken en hun aandacht op hun religieuze plichten moesten houden, zonder afleidingen uit de buitenwereld. Vroeger werd het publiek alleen toegelaten in de kerk, met zijn schitterende zilveren tabernakel uit 1671 en zijn altaar van marmer en goud. Om zijn schoonheid en serene rust is de kerk van Santa Clara een zeer populaire trouwlocatie.

Momenten uit Santa Clara's geschiedenis

★ 1476: klooster gesticht
★ 1493: kerk voltooid
★ 1497: nonnen trekken in
★ 1566: nonnen ontvluchten piraten
★ 1671: tabernakel onthuld
★ 1736: koorstoelen af
★ 1797: kerk beschilderd
★ 1834: Portugal verbiedt religieuze orden
★ 1890: laatste non sterft
★ 1927: school gesticht

Klokkentoren

De minaretachtige klokkentoren weerspiegelt de culturele invloed van Moors Sevilla, waar de tegels voor de uivormige koepel werden gemaakt.

Hoogaltaar met zilveren tabernakel, Kerk van Santa Clara

Mercado dos Lavradores, Funchal

De drukke, kleurige Mercado dos Lavradores is niet alleen maar een markt; het is een sociaal centrum van Madeira, een ontmoetingsplaats voor mensen van over het hele eiland, die met de bus van het platteland komen om hier hun waren te verkopen. De prijzen die hier worden gevraagd zijn lager dan in de vele supermarkten die nu overal op Madeira verschijnen – en wie kan de verleiding weerstaan om verse vruchten, bloemen of kruiden te kopen bij standwerkers die zoveel moeite doen om ze zo fraai uit te stallen?

Rietwaren, begane grond, Mercado dos Lavradores

Voor een smakelijke snack gaat u naar de piepkleine bars rond de buitenkant van de markthal.

Bezoek 's ochtends de vismarkt.

- *Rua Profetas*
- *Kaart P4*
- *Geopend ma–do 7.00–17.00, vr 7.00–20.00, za 7.00–15.00 uur*
- *Gratis*

Hoogtepunten

★ De markthal
★ Leda en de zwaan
★ Tegelafbeeldingen
★ Bloemenverkopers
★ Begane grond
★ Schoenmaker
★ Fruit en groenten
★ Kruidenverkoper
★ Vismarkt
★ Slagers en bars

De markthal

De art-decohal, in 1937 ontworpen door Edmundo Tavares (1892–1983), bestaat uit modern materiaal. De kleuren herinneren echter aan het grijze en roestrode basalt van traditionele Madeirese architectuur.

Leda en de zwaan

Rechts van de ingang toont een tegelafbeelding van de markt rond de 20ste eeuwwisseling *(boven)*, met kramen onder canvas overkappingen en marktkooplui in traditionele klederdracht. De fontein in de afbeelding, met een marmeren beeld van *Leda en de zwaan*, bleef bewaard en staat nu op de binnenplaats van het stadhuis *(blz. 42)*.

Tegelafbeeldingen

Rond de ingang ziet u nog meer tegelafbeeldingen, in 1940 gemaakt door kunstenaar João Rodrigues. Ze tonen standwerkers en het wapen van Funchal (met vijf suikerkegels in een kruis).

Bloemenverkopers

De bloemenverkopers dragen nog altijd traditionele klederdracht, die al even kleurig en opvallend is als hun tropische orchideeën, paradijsvogelbloemen, lelies en flamingoplanten *(onder)*.

Begane grond
In de winkelgangen rond de binnenplaats vindt u leren tassen, rietvlechtwerk, *fado*-muziek, maderawijn en honinggebak. Boeren die een dag van het platteland hierheen komen verkopen brood, bossen kruiden en seizoensvruchten uit omgekeerde kratten.

Schoenmaker
Naast spotgoedkope lederen tassen vindt u ook handgemaakte – en zeer slijtbestendige – enkellaarzen in Madeirese stijl en fraaie natuurlederen sandalen bij Barros e Abreu *(links)*. De kraam van deze schoenmaker bevindt zich rechts van de ingang.

Fruit en groenten
Boven, in het domein van de fruit- en groenteverkopers, liggen de kramen vol met de kleurrijke, geurige lokale oogst. Terwijl u een weg zoekt door de smalle paadjes krijgt u soms een gratis stukje mango, passievrucht of bloedrode tomarillo aangeboden, in de hoop dat u dan blijft staan en iets koopt.

Kruidenverkoper
Op de eerste verdieping, bij de trap, staat een kraam met verse en gedroogde kruiden, allemaal zorgvuldig gesorteerd. Er zijn bossen moederkruid tegen hoofdpijn, en venkel- en eucalyptussnoepjes tegen verkoudheid.

Vismarkt
Terwijl de fruitkramen boven een blik lijken te gunnen in de Hof van Eden, lijkt de luidruchtige vismarkt *(rechts)* in de kelder meer een hels tafereel: kraamhouders in bebloede schorten hakken met hun messen tonijn en *espada* aan stukken.

Slagers en bars
De slagerijen, met vers, gekookt en gedroogd vlees en worst bevinden zich in een afzonderlijk gebied. Dit is te bereiken via straten rond de markthal. Rond de rand van de hal zelf liggen piepkleine bars, waar marktbezoekers en -kooplui kunnen genieten van snacks als kleine porties bonen met knoflook, zoute olijven of zoete puddingbroodjes.

Fruit van Madeira
Op de markt van Funchal kan zelfs het alledaagse u verrassen: de kleine, naar honing geurende banaantjes, zo groot als een vinger, zijn de lekkerste die u ooit zult proeven. Negeer de glimmende geïmporteerde appels en tomaten, en kies de smakelijke soorten die al eeuwenlang op Madeira groeien. Dit is uw kans om alles te proeven: de lantaarnvormige *pitanga* (Braziliaanse kers), suikerriet, schijfcactus, loquat, boeah nona, guave, pawpaw, passievrucht, granaatappel en kweepeer – allemaal lokaal gekweekt.

Jardim Botânico, Funchal

Hier kunnen plantenliefhebbers alles leren over de verbazingwekkende hoeveelheid planten die gedijen in Madeira's warme, vochtige klimaat, maar het is ook een heerlijke plek om gewoon ontspannen te genieten van de nauwgezet onderhouden bloemperken. De tuinen liggen op een landgoed dat ooit toebehoorde aan de familie Reid (oprichters van het wereldberoemde Reid's Palace Hotel). Met hun geoefende blik voor goede bouwlocaties kozen ze voor hun landhuis een zonnige helling met panoramische uitzichten.

Terras in de Jardim Botânico

Er is een café op het terrein, gelegen bij enkele mooie vijvers vol lotussen en lelies.

Kinderen kijken graag uit naar kikkers die onder de waterplanten leven.

U vindt prachtige uitzichten bij de 'Lovers' Cave', op het hoogste punt van de tuin.

Uw kaartje voor de Jardim Botânico geeft ook toegang tot papegaaienpark Jardim dos Loiros *(blz. 53)*. Orchideeënliefhebbers bezoeken de Jardim Orquídea *(blz. 56)*, slechts een korte maar steile wandeling verderop.

- *Quinta do Bom Sucesso, Caminho do Meio*
- *Kaart H5*
- *291-211200*
- *Geopend dag. 9.00–17.30 uur*
- *Toegangsprijs € 3*

Hoogtepunten

1. Natuurhistorisch Museum
2. Inheemse planten
3. Uitzicht over het dal
4. Cactussen en vetplanten
5. Tapijtperken
6. Commerciële planten
7. Medicinale planten
8. Vormsnoeituin
9. Zeekustplanten
10. Papegaaienpark

1 Natuurhistorisch museum

De Quinta do Bom Sucesso of het 'Landhuis van goede voorspoed' *(onder)*, eind 19de eeuw gebouwd door de familie Reid *(blz. 37, 112)*, werd in 1952 aangekocht door de Madeirese regering. In 1960 opende het zijn deuren als Natuurhistorisch museum.

2 Inheemse planten

Er zijn zoveel planten geïntroduceerd op dit eiland dat het goed is om op de inheemse soorten te worden gewezen. In perken langs het museum *(boven)* groeien onder meer heldergekleurde Madeirese geraniums en goudkleurige reuzenboterbloemen.

3 Uitzicht over het dal

De westrand van de tuin (het verst van de ingang) kijkt uit over het groene, canyonachtige João Gomesdal *(onder)*. Hoewel er een verkeersbrug doorheen loopt, is dit een belangrijk gebied voor wilde dieren. Enorme oude parasoldennen, met hun kromme takken en ruwe bast, klampen zich vast aan de rotsen naast de *miradouro*, het uitkijkpunt over het dal.

De botanische tuin ligt 3 km ten noordoosten van Funchal, op de route van de stadsbussen 30 en 31.

4 Cactussen en vetplanten

Dit gedeelte is geliefd bij kinderen om zijn wildwestsfeer *(boven)* en om de vele spinnen, die de cactusstekels gebruiken als steun voor hun complexe webben.

Jardim Botânico

5 Tapijtperken

In dit veelgefotografeerde gedeelte *(links)* zijn paarse, rode, groene, gele, witte en gouden diamanten, ruiten en cirkels aangelegd. Zo ziet u hoe gevarieerd de kleuren zijn van alleen al de blaadjes van de planten.

6 Commerciële planten

Als u het verschil tussen een mango- en avocadoboom niet kent, leert u dat hier. De planten die hier groeien leveren eten, vezels, olie of verf. Enkele kent u van naam maar wellicht niet van uiterlijk, zoals koffie, cacao, suikerriet, katoen en papaja.

7 Medicinale planten

Het personeel onderzoekt deze planten om homeopatische geneesmiddelen te vinden tegen allerlei aandoeningen, van hoofdpijn tot reuma.

8 Vormsnoeituin

Deze siertuin *(boven)* staat vol gesnoeide buxus, en is beplant met struiken waaruit spiralen, piramiden, schaakstukken en dierenvormen zijn gesneden.

9 Zeekustplanten

De Madeirese kustflora is niet kleurrijk of spectaculair, maar wel bijzonder vasthoudend. Vele soorten groeien op rotskliffen of zanderige kusten, waar ze zelden vers water krijgen en regelmatig worden overspoeld met zout water.

10 Papegaaienpark

Naarmate u dichter bij de zuidrand van de botanische tuin komt, wordt het moeilijker om de kreten te negeren van de zeldzame exotische vogels die in dit park leven *(links)*.

Drakenbloedbomen

De drakenbloedboom *(Dracaena draco)* doet zijn naam eer aan. De grijze bast op de takken voelt aan als de schubben van een reptiel, en de bladeren lijken wel klauwen. Als men in de boom snijdt, 'bloedt' er rood sap uit. Na stolling vormt dit een harsachtige gom, drakenbloed, ooit zeer gewild als paarse textielverf. Lang voor Portugal Madeira koloniseerde, kwamen zeelui hier hars oogsten van deze bomen, die nog in het wild voorkomen op Madeira, de Canarische Eilanden en Kaapverdië.

U vindt enkele van de mooiste uitzichten bij de 'Lovers' Cave' op het hoogste punt van de botanische tuin.

Links **Madeirese geranium** Midden **Slangenkruidbloem** Rechts **Reuzenboterbloemen**

Planten op Madeira

Madeirese geranium

De Madeirese geranium, ook bekend als ooievaarsbek *(Geranium maderense)*, is in heel Europa populair als tuinplant wegens zijn struikachtige formaat, veerachtige blaadjes en grote magenta bloemen met paarse adertjes.

Slangenkruid (Pride of Madeira)

Deze bloem *(Echium candicans)* is bijna een symbool voor dit eiland. Hij bloeit met een overdaad aan langblijvende, lichtblauwe bloemen, juist in de tijd van het jaar (van december tot maart) als andere bloemen zich niet laten zien. Hij groeit veel langs wegen, vooral rond het vliegveld.

Lelietje-van-dalenboom

Negen maanden per jaar zou u deze struik *(Clethra arborea*, of *folhado* in het Portugees) geen blik waardig keuren. Van augustus tot oktober ziet hij er echter schitterend uit, als hij volhangt met zoet geurende trossen klokjesachtige, spierwitte bloemen.

Madeirese jeneverbes

Boomhei

Madeira's boomhei *(Erica arborea)* is verwant aan de heidestruik en bloeit met vergelijkbare, klokjesachtige roze bloemen. Hij kan enorm groot worden; een versteende stronk in het Natuurhistorisch museum *(blz. 20)* kwam waarschijnlijk van een boom van honderden jaren oud. De takken worden veel gebruikt voor hekken en schuttingen.

Reuzenboterbloemen

Madeira's subtropische klimaat laat planten schijnbaar uitgroeien tot giganten. Hier worden kerststerren tot 4 m hoog en groeit heide als bomen in plaats van struiken. Deze hoge, struikachtige boterbloem *(Ranunculus cortusifolia)* is een zeer fraaie plant die overal mooi staat.

Canarische laurier

De voornaamste smaakmaker in Madeira's nationale gerecht, *espetada* (runderkebabs), is de Canarische laurier *(Laurus azorica*, of *loureiro* in het Portugees). Hij heeft geurige, groenblijvende bladeren en groeit volop in het wild.

Madeirese jeneverbes

Verwarrend genoeg wordt deze boom in het Portugees *cedro* (ceder) genoemd. Het donkere hout heeft een rijke glans, zoals te zien in de plafonds met knopenpatronen in de kathedraal van Funchal *(blz. 9)*, het Santa Claraklooster *(blz. 16)* en de kerk in Calheta *(blz. 82)*.

Barbusano
Apollonias barbujana vormt een groot deel van de inheemse groenblijvende bossen. De vers uitgroeiende felgroene bladeren steken af tegen de donkergroene bladeren van het jaar daarvoor.

Stinklaurier
De Portugezen hielden flink huis onder deze enorme oude laurierbomen (*Ocotea foetens*, of *til* in het Portugees) na hun aankomst op het eiland in 1420. De gevelde bomen werden verscheept naar Portugal en Spanje voor de scheepsbouw; zo waren de schepen van de Spaanse Armada grotendeels van dit hout gemaakt.

Madeirese mahonie
Madeira's musea staan vol meubels gemaakt van *vinhático (Persea indica)*, het mahonieachtige hout van bomen die in het bos grote hoogten en omvang bereiken. Suiker was in de 15de eeuw zo kostbaar dat het naar Europa werd verzonden in kisten van deze houtsoort.

Wilde planten die u wellicht ziet bij het wandelen

★ Slangenkruid
★ Huislook
★ Waternavel
★ Wollige distel
★ Melkdistel
★ IJsplant
★ Blauwe bosbes
★ Vingerhoedskruid
★ Hondsviooltje
★ Vlooienkruid

Madeira: werelderfgoed

De grote oerbossen in het bergachtige binnenland zijn het restant van het geurige laurierbos dat in grote delen van Zuid-Europa groeide tot aan de laatste ijstijd (die zo'n 10.000 jaar geleden eindigde). Alleen op Madeira, de Canarische Eilanden en de Azoren, en in het tropische westen van Afrika bleef het warm genoeg voor deze subtropische bomen en struiken. De bossen, in het Portugees laurisilva *(laurierbos) genoemd, vormen een waardevolle band met ons verleden. De Unesco riep een groot deel van het natuurbos in december 1999 uit tot beschermd werelderfgoed.*

Oerbossen

Voor meer bloemen op Madeira **zie blz. 65**

Quinta do Palheiro Ferreiro

De Quinta do Palheiro Ferreiro kreeg zijn onmiskenbaar Engelse karakter van zijn eerste eigenaar, de rijke graaf van Carvalhal. Hij was dol op Engelse landschappen, en liet daarom bossen en weilanden aanleggen toen het landgoed in 1804 werd ingedeeld. De Quinta werd in 1885 gekocht door John Blandy, een Engelse wijnhandelaar, en is sindsdien in handen van dezelfde familie gebleven. Het landgoed werd verrijkt met de planten die door Mildred Blandy werden ingevoerd uit China, Japan en haar geboorteland Zuid-Afrika.

Roze bloemen van de Cymbidiumorchidee

Het pasgebouwde theehuis, met heerlijk zelfgemaakt gebak, staat in het lager gelegen deel van de tuin, langs een deel van het landgoed dat als golfbaan wordt gebruikt ***(blz. 48).***

Let op: het huis is niet toegankelijk voor publiek.

- *Caminho da Quinta do Palheiro 32, São Gonçalo*
- *Kaart H5*
- *291-793044*
- *ma–vr 9.00–16.00 uur*
- *Toegangsprijs € 8 (kinderen € 4)*

Hoogtepunten

1. Hoofdlaan
2. Beektuin
3. Verzonken tuin
4. Kapel
5. Lange borders
6. Terras
7. Casa Velha
8. Jardim da Senhora
9. Ribeira do Inferno
10. Cameliaroute

1 Hoofdlaan

Veel van de platanen en enorme camelia's aan deze laan zijn 200 jaar geleden geplant. De rode, roze en witte bloemen zijn het mooist van november tot april; daarna nemen de witte aronskelken en blauwe Kaapse lelies het over.

2 Beektuin

De beek die u oversteekt naar de tuin wordt gevoed door een bron. Er groeien azalea's, rododendrons en rode lissen, en er zijn diverse sierbruggetjes. In het water badderen roodborstjes en merels.

3 Verzonken tuin

Waterlelies vullen de kleine poel midden in deze lieflijke tuin *(boven)*. Hoge cipressen markeren de hoeken en snoeivormen flankeren de vier stenen trappen. In de perken staan gazania's naast bietenrode huislook.

4 Kapel

De opvallende barokke kapel heeft ramen in Venetiaanse stijl. Het stucwerkplafond toont de doop van Christus in de Jordaan door Johannes de Doper.

De Quinta ligt 8 km van het centrum van Funchal, aan de route van stadsbus 37.

5 Lange borders

Typisch Engelse bloeiende borderplanten, zoals ridderspoor en daglelies, staan hier tussen tengere, exotische orchideeën en doornappels (datura's). Klimrozen en jasmijn wikkelen zich rond bogen, zodat u de zoete geur kunt opsnuiven als u passeert.

Quinta do Palheiro Ferreiro

6 Terras

Het terras, geplaveid met door de zee gepolijste kiezeltjes, biedt goed zicht op het huis (niet toegankelijk) dat John Blandy in 1885 bouwde, in een succesvolle menging van Engelse en Madeirese bouwstijlen.

7 Casa Velha

Het 'oude huis', nu een luxehotel *(blz. 113)*, was ooit een jachtverblijf. Aartshertogin Leopoldina van Oostenrijk verbleef hier op weg naar haar huwelijk met Pedrò I van Brazilië in 1817.

9 Ribeira do Inferno

Ondanks de naam 'helledal' is dit een heerlijke wildgroei van bamboe, boomvarens, inheemse bossen en klimplanten, met een onderlaag van prachtige acanthussen.

8 Jardim da Senhora

De 'tuin van de dame' (*boven*) heeft snoeivormen van vogels en eeuwenoude bomen, waaronder een grote oude *til (blz. 23)*, twee Canarische dennen en een *Saphora japonica*, waarvan de spiraalvormige takken en fijne blaadjes als een sluier naar de grond vallen.

10 Cameliaroute

Zoek naar de stenen cirkel met de naam Avista Navios ('plek om schepen te zien'); hier hebt u de hele dag een helder uitzicht tot aan de haven.

De familie Blandy

De eerste John Blandy (1783–1855) kwam in 1807 aan als kwartiermeester in het leger van generaal Beresford, dat Madeira moest verdedigen tegen aanvallen van Napoleon. Blandy keerde terug in 1811, en werd rijk van het bevoorraden van schepen in de drukke haven van Funchal. Zijn oudste zoon, Charles Ridpath, kocht alle bestaande wijnvoorraden van het eiland op toen de druivenoogst mislukte door schimmel in 1852. Door deze gedurfde daad domineerde de familie vanaf dat moment de wijnhandel.

De naam Palheiro Ferreiro betekent letterlijk 'hut van de smid'. Misschien heeft een smid hier ooit zijn smederij gebouwd.

Monte

Net als de regeringsposten van koloniaal India groeide Monte (letterlijk 'berg') in de laat-18de eeuw uit tot een deftig toevluchtsoord, weg van de hitte, geuren, herrie en handelsactiviteiten in de hoofdstad. Funchals buitenwijken reiken nu tot aan Monte, maar u hebt nog altijd het gevoel dat u de stad ontvlucht en een aparte wereld betreedt. Vogelgezang weerklinkt door de koele, heldere lucht. In de plaveistraten rijden maar weinig auto's en overal ziet u weelderige tuinen – waarvan de mooiste de Monte Palace Tropical Garden (blz. 28–29) *is.*

Kabelbaan van Monte

U bereikt Monte vanuit Funchal met een taxi, of met bus 20 of 21. De spannendste manier is echter om de kabelbaan te nemen (vanaf het station in de oude stad van Funchal) en terug te keren via de traditionele tobogan van Monte. U kunt ook terugwandelen; de Caminho do Monte is een steile, maar directe route naar Funchal, door enkele fraaie, oudere buitenwijken. Om het pad te vinden, volgt u de toboganbaan.

- *Kaart H5*
- *Nossa Senhora do Montekerk. 291-783877. Geopend ma–za 9.00–18.00, zo 8.00–13.00 uur. Gratis*
- *Quinta Jardins do Imperador. Camhino do Pico. 291-780460. Geopend ma–za 9.30–17.30 uur. Toegangsprijs (alleen tuin) € 6 (kinderen € 3; tot 12 jaar gratis)*
- *Toboganbaan. Zonsopgang–zonsondergang. Prijs € 10 p.p. plus fooi*

Hoogtepunten

★ Toboganbaan
★ Treinstation
★ Kerktrap
★ Nossa Senhora do Monte
★ Quinta do Monte
★ Kabelbaanstation
★ Capela da Coneição
★ Fonteinplein
★ Quinta Jardins do Imperador
★ Parque do Monte

Toboganbaan

De tobogans worden bestuurd door fraai geklede *carreiros* (toboganbestuurders) in strohoedjes, over de 2 km lange tocht van Monte naar Livramento.

Treinstation

Dit gebouw op een hoogte van 550 m boven zeeniveau is nu een café. Tot 1943 was dit echter het eindstation van de kabelspoorweg.

Kerktrap

Op het feest van Maria-Hemelvaart (15 augustus) beklimmen pelgrims op hun knieën de steile trap naar de kerk van Monte, om eer te bewijzen aan het Mariabeeld. Men gelooft dat dit beeld door Maria zelf is geschonken, toen zij in de 15de eeuw verscheen aan een herdersmeisje.

De ingang van de Monte Palace Tropical Garden ligt ten zuiden van de Nossa Senhora do Monte, bij het begin van de toboganbaan.

Nossa Senhora do Monte

Deze kerk, gewijd in 1818, verving een 15de-eeuwse kapel die was gebouwd door Adam Ferreira (de eerste persoon die op Madeira werd geboren, samen met zijn tweelingzus Eva). De kerk bevat de tombe van keizer Karel I van Oostenrijk.

Kabelbaanstation

Het stijlvolle station van staal en glas is het enige moderne gebouw in Monte. Op de route van de kabelbaan, omhoog door het wilde João Gomesdal, ziet u veel beschermde inheemse bomen en bloemen.

Capela da Coneição

De fraaie 18de-eeuwse Kapel van de Ontvangenis staat aan een lommerrijk plein in het oostelijke deel van het dorp, bij een *miradouro* (uitzichtpunt) dat uitkijkt over het João Gomesdal.

Quinta Jardins do Imperador

Net zuidelijk van Monte (eerste afslag rechts als u heuvelaf gaat richting Funchal) staat het fraaie landhuis waar Karel I in ballingschap leefde. De siertuinen en het meer worden langzaam hersteld in hun oude pracht.

Parque do Monte

Dit openbare park werd in 1894 aangelegd onder het stenen treinviaduct, dat nu is begroeid met *Monstera deliciosa*-klimplanten. Stenen paadjes kronkelen tussen de bogen door naar een dal vol hortensia's, boomvarens en Kaapse lelies.

Quinta do Monte

De 19de-eeuwse Quinta do Monte, onlangs verbouwd tot luxehotel *(blz. 113)*, staat op een prachtig terrein, dat is geopend voor publiek zolang er daglicht is. Midden in de tuin staat de barokke kapel van de Quinta do Monte, en eronder staat een sierlijk tuinhuis, waar nu thee wordt geserveerd.

Fonteinplein

Het hoofdplein ligt in een natuurlijk amfitheater, in de schaduw van grote platanen, en is prachtig geplaveid met door de zee gepolijste stenen. Het plein is vernoemd naar de marmeren *fonte* uit 1897 *(links)*. Een nis in de achtermuur bevat een beeld van Maria van Monte, een replica van het beeld in de kerk.

Keizer Karel I (1887–1922)

Karel I was heerser over een rijk dat zich uitstrekte van Wenen tot Boedapest. Toen dit rijk viel na de Oostenrijkse nederlaag in WO I ging hij in ballingschap op het kleine eiland Madeira, omdat hij hier aangename vakanties had doorgebracht. Zijn geluk was echter van korte duur: hij kwam aan in november 1921 en bezweek in april 1922 aan longontsteking. Hij werd door paus Johannes Paulus II zaligverklaard en zijn tombe in de kerk van Monte wordt nu vaak bezocht door pelgrims.

Links ***Geboortetafereel*, detail** Midden **Zwanenmeer** Rechts **Japanse tuin**

Monte Palace Tropical Garden

Monte Palace Tropical Garden

1 Oude olijfbomen

De leeftijd van oude bomen is af te leiden aan de omtrek; en de omtrek van de drie oude olijfbomen, bij de ingang van de tuin, is minstens gelijk aan de lengte! Ze zijn rond 300 v.C. geplant door Romeinen in de Alentejo in Portugal en hoorden bij een groep van 40 oude olijfbomen die werd gered toen de grote Alquevadam (het grootste kunstmeer van Europa) werd aangelegd.

2 Tegelafbeeldingen

De 40 tegelpanelen langs de hoofdlaan tonen taferelen uit de Portugese geschiedenis, van het bewind van Afonso Henriques, die Lissabon in 1147 veroverde op de Moren, tot de Madeirese autonomie binnen Portugal in 1976.

Beschilderde tegels bij het zwanenmeer

3 Belvedere

Het balkon in de zuidwesthoek van de tuin kijkt uit over de weg naar Funchal, waar Monte's traditionele tobogans rijden. De weg is nu geasfalteerd en de bestuurders hebben moeite om een redelijke snelheid te bereiken. Er zijn plannen om de oorspronkelijke kinderkopjes terug te brengen, zodat de rit weer voldoet aan de beschrijving van Ernest Hemingway, die dit de 'spannendste rit ter wereld' noemde.

4 Olifantspoten

Ten noorden van het café dat achter in de tuin ligt, vindt u deze bomen uit Mexico met hun zeer toepasselijke naam.

5 's Werelds hoogste vaas

Het *Guinness Book of Records* heeft deze kruik van 5345 m hoog, versierd met oud-Egyptische hiërogliefen, officieel erkend als de hoogste ter wereld.

6 Zwanenmeer

De vaas staat naast een klein meer vol eenden, zwanen en gedweeë karpers, met fonteinen en door varens begroeide grotten. De muren zijn versierd met art-decotegels, gered uit gesloopte gebouwen in Lissabon. Een muur toont een advertentie voor Japanse parasols *(links)*, andere prijzen rotanmeubels en Oosterse tapijten aan.

7 Madeirese flora

Een gedeelte links van het hoofdpad is gewijd aan inheemse planten uit Madeira's *laurisilva (blz. 23)*. Zo ziet u hier doornloze *Ilex perado* (Madeirese hulst) en *Euphorbia piscatoria* (in het Portugees bekend als *Figuera do inferno* – 'vijg uit de hel'), waarvan het giftige sap ooit werd gebruikt om vissen te verlammen.

8 Geboortetafereel

Op het terras bij het meer vindt u een 16de-eeuws *Geboortetafereel*, gehouwen in dichte kalksteen door renaissancekunstenaar Jean de Rouen. Vooral de panelen met herders en hun kuddes zijn erg charmant.

9 Tegels en beeldhouwwerk

De terrassen zijn versierd met 17de- en 18de-eeuwse 'lambrizering' van tegels, beschilderd met engelen en religieuze taferelen. De tegels zijn gered uit gesloopte kloosters en kapellen in heel Portugal. Let ook op de fraaie Italiaans-romaanse putrand, met zijn amusante motto: 'hoe meer u geeft, hoe minder u hebt om u zorgen over te maken!'

10 Japanse tuin

De Japanse tuin wordt bewaakt door leeuwachtige marmeren tempelhonden. De rijke begroeiing staat in scherp contrast met de helderrode bruggen en traditionele Japanse bogen.

Andere Quinta's die u kunt bezoeken

- ★ Quinta da Boa Vista
- ★ Quinta do Bom Sucesso
- ★ Quinta das Cruzes
- ★ Quinta do Furão
- ★ Quinta Jardins do Imperador
- ★ Quinta Magnólia
- ★ Quinta do Monte
- ★ Quinta do Palheiro Ferreiro
- ★ Quinta da Palmeira
- ★ Quinta Vigia

Monte Palace

Monte Palace was een bescheiden landhuis in de 18de eeuw, toen de Engelse consul Charles Murra het landgoed bezat. Later werd het uitgebreid tot hotel. Nu is het eigendom van de José Berardo Foundation, een educatieve milieustichting, gefinancierd door een Madeirese ondernemer die rijk werd met het winnen van goud uit mijnafval in Zuid-Afrika. De terrassen rond het huis tonen oude en moderne beelden, en verder ziet u er pauwen en 'Ali Baba'-kruiken. Camhino do Monte • Kaart H5 • 291-782339 • Tuinen: geopend dag. 9.30–18.00 uur. Toegangsprijs € 10 (tot 15 jaar gratis)

Monte Palace

Voor meer informatie over de hierboven genoemde Quinta's, **zie blz. 14–15, 20, 24–25, 26, 27, 44–45, 56, 59**

Curral das Freiras

Dé manier om de pracht van het bergachtige binnenland te ervaren, is een bezoek aan Curral das Freiras ('schuilplaats van de nonnen'). In dit beschutte dal verschuilden de nonnen uit het Santa Claraklooster (blz. 16–17) *zich als het eiland werd aangevallen door piraten. (Het dorp dat er nu ligt heeft dezelfde naam.) Het viel ze vast zwaar om van deze idyllische plek terug te keren naar hun klooster in de stad. Bij zijn bezoek in 1825 beschreef H.N. Coleridge (neef van de Engelse dichter) dit als 'een van de mooiste plekken ter wereld'.*

Nuns Valley Café, Curral das Freiras

Het Nuns Valley Café serveert koffie op een terras met spectaculaire uitzichten.

Veel tourbedrijven in Funchal organiseren tochten van een halve dag naar Curral das Freiras, vaak in combinatie met Monte *(blz. 26)* of Câmara de Lobos *(blz. 75)*. De meeste excursies gaan echter maar tot Eira do Serrado, het uitkijkpunt boven het dorp.

Curral das Freiras ligt aan de route van bus 81 van Autocarros da Camacha.

• *Kaart G4*

Hoogtepunten

★ Eira do Serrado
★ Miradouro
★ 'The Sublime'
★ Uitzicht naar het oosten
★ Uitzicht naar het noorden
★ Uitzicht naar het westen
★ Wandelpad
★ Weg
★ Kastanjebossen
★ Dorp

Eira do Serrado

Het bewonderen van het uitzicht vanaf Eira do Serrado *(rechts)* hoort net zozeer bij een bezoek aan Curral das Freiras als de afdaling naar het dorp zelf. Er is een hotel en een restaurant, dus als u verliefd wordt op het uitzicht kunt u hier blijven lunchen of dineren, of zelfs overnachten *(blz. 116)*.

Miradouro

Van de parkeerplaats voor het hotel leidt een kort wandelpad naar een *miradouro* of uitkijkpunt *(onder)* hoog boven het Socorridosdal. Vanaf hier ziet het dorp ver beneden u eruit als 'Shangri-La' – het utopia uit James Hiltons roman *Het verloren paradijs* (1933).

'The Sublime'

In de 18de en vroeg-19de eeuw had men een voorliefde voor het 'verhevene' in de kunst. Schilders die Madeira bezochten, overdreven opzettelijk de hoogte van bergen en watervallen.

Uitzicht naar het oosten

Door zijn ketelvorm dachten vroege verkenners dat dit dal, met zijn dramatische steile kliffen in het oosten, een ingestorte vulkaan was. In werkelijkheid is de ronde vorm ontstaan door miljoenen jaren rivier- en regenerosie.

Uitzicht naar het noorden

Ten noorden van het dorp leidt een weg uit het dal, die stopt zodra hij uit zicht raakt. Er zijn plannen om een tunnel aan te leggen door het bergachtige midden van het eiland en de weg te verlengen tot de noordkust, wat de rust in de Curral zou verstoren.

Uitzicht naar het westen

In het westen ligt een ruige bergrug met drie pieken: Pico do Cavalho, Pico do Serradhino en met 1654 m de hoogste, Pico Grande. Verderop ligt nog een groot dal, dat van Ribeira Brava naar São Vicente voert via de Encumeadapas *(blz. 81)*.

Wandelpad

Om uw bezoek aan de Curral te verlengen kunt u afdalen naar het dorp via een kiezelpad *(boven)* dat begint bij de parkeerplaats. Het pad heeft 52 bochten; sla onderaan rechtsaf en loop heuvelop naar het dorp. U kunt teruggaan met bus 81.

Weg

Tot deze weg werd aangelegd in 1959 was het wandelpad de enige manier om het dal in en uit te komen. Maar zelfs de weg is weinig meer dan een uit de rotswand gehakte richel, en met twee tunnels is hij niet geschikt voor grote tourbussen.

Kastanjebossen

De afdaling naar het dorp leidt door kastanjebossen *(links)*. De bomen dragen in augustus witte, zoetgeurende bloesem en produceren in oktober eetbare kastanjes. Verder omlaag ligt een natuurlijk *laurisilva*-bos *(blz. 23)*. Kijk hier in juni uit naar wilde orchideeën.

Dorp

Caféhouders zullen u graag hun kastanjegerechten *(rechts)* voorzetten: geroosterde, gezouten kastanjes, rijke kastanjesoep en zoet kastanjegebak. Proef ook de lekkere kastanjelikeur, *castanha*.

Piraten ahoy!

Piraten vormden een ernstige bedreiging in de vroege geschiedenis van Madeira; daarom heeft Funchal maar liefst drie forten. De zwaarste aanval vond plaats in 1566, toen de Franse piraat Bertrand de Montluc met 1000 man aan land kwam bij Praia Formosa. Vijftien dagen lang plunderde hij daar kerken en landhuizen, en slachtte hij iedereen af die hem tegenwerkte. Montluc heeft weinig aan zijn daden gehad, aangezien hij bij de aanval een fatale verwonding opliep.

Pico do Arieiro

U hebt geen uitrusting van een bergbeklimmer nodig om de top van Madeira's op twee na hoogste bergtop te bereiken, want een weg voert u in minder dan een uur van de drukte van Funchal naar de stilte van de top. De bergtop biedt een uitzichtplatform vanwaar u uitkijkt over de vele pieken en ravijnen van het centrale gebergte. Hierboven hebt u de gelegenheid om de verbazingwekkende variëteit aan rotsformaties te onderzoeken die zijn achtergebleven na de geweldadige vulkanische activiteit die het eiland heeft gevormd.

Uitzicht van Pico do Arieiro

Er is een café op de top van de berg.

Pico do Arieiro kan een groot deel van de dag in wolken zijn gehuld. De beste tijden van de dag voor mooi weer zijn voor 10.00 uur en na 17.00 uur. U kunt natuurlijk ook hopen dat het helder weer is als u de top bereikt. Als u omhoog rijdt door de wolken ontdekt u vaak dat de top heerlijk zonnig is.

Zelfs hartje zomer kan het koud en winderig zijn op de bergtop, en 's winters ligt er vaak ijs en sneeuw. Het is daarom verstandig om warme en waterbestendige kleding mee te nemen.

• *Kaart G4*

Hoogtepunten

★ Ecologisch park
★ IJshuis
★ Schaapskooien
★ Triangulatiepunt
★ Wandelpad
★ Café
★ Uitzicht naar het westen
★ Vulkanische dijken
★ Uitzicht naar het oosten
★ Wilde dieren

Ecologisch park

Zo'n 12 km van Funchal, aan de weg bergop, komt u langs de ingang van het Ecologisch park, waar oerbossen worden hersteld. Met zijn uitkijkpunten en open plekken is het populair voor picknicks.

IJshuis

Dit iglovormige gebouw *(boven)*, 2 km ten zuiden van de bergtop, heet Poço da Neve (sneeuwput). Het werd in 1813 gebouwd door een Italiaanse ijsmaker. IJs uit dit type putten voorzag de rijke hotelgasten van 'sneeuwwater' in het heetst van de zomer.

Schaapskooien

Vee is verbannen uit het Ecologisch park, zodat de Madeirese blauwe bosbes en heide vrij kan groeien. Bij de top grazen wel schapen en geiten, en hun ronde kooien zijn hier te zien.

Triangulatiepunt

Op een korte klim vanaf het café ligt de werkelijke bergtop, 1818 m boven zeeniveau. Hij wordt gemarkeerd door een betonnen paal waarmee de hoogte en locatie wordt gemeten *(onder)*.

Er rijden geen bussen naar de bergtop, maar taxi's kunnen u heen en terug rijden tegen een vast tarief.

Wandelpad
Een wandelpad *(rechts)* tussen vier grote bergtoppen vormt een van de spannendste wandelroutes van het eiland. Waag u er niet aan zonder de juiste uitrusting voor zware omstandigheden (zoals plotseling noodweer, tunnels en onbeschutte ravijnen). Een groot geel bord markeert het beginpunt. Loop de eerste 100 m voor fraaie uitzichten op de bergtop achter u.

Café
De foto's aan de muren van dit café tonen de bergtop bij zonsonder- en zonsopgang en in de sneeuw. Wellicht verleiden ze u ertoe om terug te keren bij avondschemer of ochtendgloren, of om de nachthemel onverstoord door felle stadslichten te zien.

Uitzicht naar het westen
Het westelijke uitzicht vanaf de top *(boven)* omvat het hele centrale gebergte, met vele scherpe bergtoppen zover het zicht reikt. De voornaamste kleuren zijn het vuurrood, roestbruin, zwart en paars van het geoxideerde vulkaangesteente, in een tafereel waarin u zich op Mars waant.

Vulkanische dijken
Opvallend in het uitzicht naar het westen en zuiden is een reeks parallelle grijze aardlagen, die net de Chinese Muur lijken en de contouren van het landschap volgen. Dit zijn verticale naden van hard vulkaangesteente, die de erosiekracht van regen, vorst en wind hebben weerstaan.

Wilde dieren
Zelfs op de kale, droge rotsen van Madeira's hoge bergtoppen groeien planten, waar spleten in de rotsen beschutting en vocht bieden. Tussen de brem *(rechts)* en heide ziet u sprinkhanen en inheemse heidevlinders met hun prima schutkleur.

Uitzicht naar het oosten
Naar het oosten kijkt u uit over de groene, beboste hellingen van de inheemse bossen *(blz. 23)*. Op een heldere dag kunt u de weilanden van Santo da Serra zien liggen, net als de lange, rotsige staart van het eiland, de Ponta de São Lourenço, die in de verte wegbuigt.

Vorming van het eiland
Madeira's geboorte begon 18 miljoen jaar geleden toen lava door de zeebodem brak en vele lagen basaltrots vormde. Pas na 15 miljoen jaar bereikte Pico do Arieiro zijn huidige hoogte. Gedurende nog eens 2,25 miljoen jaar vloeide lava uit het midden van het eiland opzij; zo ontstonden vlakkere delen rond Paúl da Serra in het westen en Santo da Serra in het oosten. De vulkanische activiteit hield pas 6450 jaar geleden volledig op, toen de grotten bij São Vicente *(blz. 81)* werden gevormd.

Links **Reid's Hotel** Rechts **Beeld van Tristão Vaz Teixeira in Machico**

Historische momenten

Vorming van het eiland

Twintig miljoen jaar geleden begon de Madeirese eilandengroep op te rijzen uit zee (eerst Porto Santo, daarna Madeira en de Ilhas Desertas). Er ontstonden vruchtbare lappen land door stormen die de zachtere lagen vulkaanas erodeerden. Langzaam kwam het land tot leven, doordat door vogels uitgescheiden zaden ontkiemden en zich verspreidden.

Vroege bezoekers

Zeelui oogstten hier hars van drakebloedbomen, gebruikt om kleren te verven. Madeira komt voor in *Naturalis Historia* van Plinius de Oudere (23–79) en verschijnt voor het eerst op de Mediciatlas van 1351, als 'Isola de Lolegname' ('bebost eiland').

Aankomst Zarco

Prins Hendrik 'de Zeevaarder' (1394–1460), de derde zoon van koning João I van Portugal, zag in hoe waardevol de eilandengroep was voor zeelui die de Atlantische Oceaan verkenden. Hij zond João Gonçalves Zarco (1387–1467) *(blz. 15)* erheen, die arriveerde op Porto Santo. In 1420 keerde hij terug om Madeira op te eisen voor Portugal.

Kolonisatie

De Portugese kolonisatie van Madeira begon in 1425, toen Zarco terugkwam om de zuidwestelijke helft vanaf Funchal te besturen. Tristão Vaz Teixeira heerste over het noordoosten en Bartolomeu Perestrelo over Porto Santo. Machico was eerst de hoofdstad, maar Funchal had een betere haven en werd in 1508 een stad.

Welvaart

Rond 1470 exporteerden de vroege kolonisten al tarwe, verfstoffen, wijn en hout, maar suiker leverde het meest op. Het eiland dreef handel met Londen, Antwerpen, Venetië en Genua, en was 150 jaar lang de voornaamste suikerproducent van Europa. De opbrengst werd besteed aan bouwprojecten en kunst.

Wijn

Aan de snelle winst en rijkdom kwam een eind toen Caribische en Braziliaanse suiker Europa bereikten, medio 16de eeuw. De zoete wijn *malvazia* (malvezij) werd nu het voornaamste exportproduct. Dit is de favoriete drank van Shakespeares snoeverige personage Falstaff.

Prins Hendrik 'de Zeevaarder'

De Britten arriveren

Britse kooplui domineerden de wijnhandel na het huwelijk van Karel II met de Portugese prinses Catharina van Bragança in 1662; de Britse (en Amerikaanse) belasting op madera werd verlaagd als onderdeel van de huwelijksovereenkomst. Madeira was zo waardevol voor de Britten dat ze in 1801 een leger stuurden om het uit handen van Napoleon te houden.

Vorige bladzijden **Traditionele huizen met A-frame, Santana**

Reid's Hotel

Toen de napoleontische oorlogen voorbij waren, werd Madeira een populair wintervakantieoord voor rijkelui uit Noord-Europa. Kenmerkend voor deze tijd is Reid's Hotel, gesticht door William Reid. Hij kwam hier in 1836 aan als een arme zeeman, maar verdiende een fortuin door huizen te verhuren aan adellijke bezoekers.

Autonomie

Madeira doorstond de twee wereldoorlogen relatief goed, maar in 1974, het jaar van de Portugese Anjerrevolutie, was dit het armste gebied van Europa. In dat jaar werd de Portugese dictatuur omvergeworpen in een coup door legerofficiers. Blije burgers staken anjers in de geweerlopen van de feestvierende soldaten. In 1976 werd Madeira autonoom, behalve op het gebied van belasting, buitenlandse politiek en defensie.

Investeringen

Funchal viert binnenkort zijn 500-jarig bestaan als hoofdstad van een steeds welvarender eiland. Nieuwe havens en wegen hebben het toerisme gestimuleerd en het vervoer van verse waren verbeterd. De bossen zijn beschermd als wereldnatuurerfgoed van de Unesco, en in het water zwemmen weer walvissen en dolfijnen.

Catharina van Bragança

Beroemde bezoekers

Robert Machin
De gestrande zeeman en zijn minnares, Ana d'Arfet, stierven op Madeira rond 1370.

Koning Ladislaw III
De voormalige koning van Polen was een van de eerste kolonisten op Madeira, na zijn nederlaag in de slag bij Varna in 1414.

Columbus
Columbus kwam hier als suikerhandelaar in 1478–1479, en keerde voor het laatst terug in 1498, onderweg naar de Nieuwe Wereld.

Kapitein Kidd
Niemand heeft ooit de schat gevonden die deze piraat op de Ilhas Desertas zou hebben begraven rond 1690.

Kapitein James Cook
De ontdekkingsreiziger bezocht Madeira in 1768 met zijn schip, de *Endeavour*.

Napoleon
De verslagen Franse keizer kocht wijn in Funchal toen hij op weg was naar zijn ballingschap op Sint-Helena in 1815.

Keizer Karel I
De laatste Oostenrijks-Hongaarse keizer stierf hier in ballingschap in 1922 *(blz. 27)*.

George Bernard Shaw
De Ierse toneelschrijver, die Madeira in 1927 bezocht, loofde zijn dansinstructeur als 'de enige man die me ooit iets heeft geleerd'.

Winston Churchill
Churchill schreef *De keer der fortuin* (deel 4 van zijn memoires) tijdens zijn verblijf in Reid's Hotel in 1949.

Margaret Thatcher
De latere Britse premier Margaret Thatcher bracht haar huwelijksreis door in het Savoy Hotel in 1951.

Links **Museu Photographia Vincentes** Rechts **Casa Museu Frederico de Freitas**

Musea

Museu de Arte Sacra, Funchal

Funchals museum voor religieuze kunst is beroemd om de kleurrijke, 16de-eeuwse Vlaamse schilderijen. Het bezit ook veel kleurig beschilderde houten beelden *(blz. 10–11)*.

Franciscaanse heilige, Museu de Arte Sacra

Adegas de São Francisco, Funchal

Een rondleiding door deze charmante oude wijn-*adegas* is een bijzondere ervaring die alle zintuigen stimuleert *(blz. 12–13)*.

Museu da Quinta das Cruzes, Funchal

In dit huis woonde de eerste heerser van Madeira toen het nog jonge eiland net was toegevoegd aan Portugals toenemende collectie overzeese koloniën: aan het begin van het Tijdperk der Ontdekkingsreizen, in de 15de eeuw. Schilderijen en schetsen van herkenningspunten op het eiland hangen aan de muren van de rijkversierde kamers van deze Quinta *(blz. 14–15)*.

Picknick **door T. da Anunciação, Museu da Quinta das Cruzes**

A Cidade do Açúcar, Funchal

Dit museum is gewijd aan de vroege suikerhandel op het eiland. Het staat op de plek van een huis waar Christoffel Columbus in 1498 zes dagen logeerde, op zijn derde reis naar de Nieuwe Wereld. *Praça do Colombo 5 • Kaart P3 • 291-236910 • ma–vr 10.00–12.30, 14.00–18.00 uur • Niet gratis*

Museu Photographia Vicentes, Funchal

Deze fotostudio, opgericht door Vincent Gomes da Silva in 1852 (twaalf jaar na de uitvinding van de fotografie), is nog geheel intact, compleet met camera's, sets en kostuums. *Rua da Carreira 43 • Kaart P3 • 291-225050 • ma–vr 10.00–12.30, 14.00–17.00 uur • Niet gratis*

Museu Municipal e Aquário, Funchal

Beneden in dit museum vindt u een donker aquarium, en boven vindt u een collectie opgezette vissen, vogels en andere Madeirese dieren. *Rua da Mouraria 33 • Kaart P2 • 291-229761 • di–vr 10.00–18.00, za–zo 12.00–18.00 uur • Niet gratis*

Casa Museu Frederico de Freitas, Funchal

In dit 19de-eeuwse landhuis vol antiek en religieuze schilderijen ziet u ook een amusante collectie theepotten uit de hele wereld. Een nieuwe vleugel bevat keramiektegels, met prachtige oude exemplaren uit Madeirese kerken

die allang niet meer bestaan.
Calçada de Santa Clara 7 • Kaart N2 • 291-220578 • di–za 10.00–12.30, 14.00–17.30, zo 10.00–12.30 uur • Niet gratis

Museu Henrique e Francisco Franco, Funchal

De artistieke gebroeders Franco, schilder Henrique (1883–1961) en beeldhouwer Francisco (1855–1955), verlieten Madeira en zochten roem in Lissabon en Parijs. Hun werk wordt hier bejubeld.
Rua João de Deus 13 • Kaart N4 • 291-230633 • ma–vr 10.00–12.30, 14.00–18.00 uur • Niet gratis

Museu Henrique e Francisco Franco

Museu Etnográfico da Madeira, Ribeira Brava

Boeiende blik op het traditionele Madeirese leven. *Rua de São Francisco 24 • Kaart D5 • 291-952598 • di–zo 10.00–12.30, 14.00–18.00 uur • Niet gratis*

Museu da Baleia, Caniçal

Vrolijke uitstallingen over leven, geschiedenis en behoud van de walvis en andere zeezoogdieren.
Largo Manuel Alves • Kaart L4 • 291-961407 • di–zo 10.00–12.00, 13.00–18.00 uur • Niet gratis (kinderen wel gratis)

De mooiste museumstukken

Processiekruis

Magnifiek renaissancistisch zilverwerk, met evangelisten en bijbelse taferelen in reliëf aangebracht (Museu de Arte Sacra) *(blz. 10)*.

Muurschilderingen door Max Romer

De taferelen van de druivenoogst tonen de kracht van de jeugd en het gouden herfstlicht (Adegas de São Francisco) *(blz. 12)*.

Indiaas miniatuur

Maria afgebeeld als Mongoolse prinses (zaal 1, Quinta das Cruzes) *(blz. 14)*.

Dierenbotten

Botten uit de tijd van Columbus, opgegraven door archeologen (A Cidade do Açúcar).

Fotoalbums

Sepia prenten die 150 jaar leven op het eiland tonen (Museu Photographia Vicentes).

Murenen

Slangachtige diepzeevissen met scherpe tanden (Museu Municipal e Aquário).

Wintertuin

Glazen kas in art-nouveaustijl vol varens (Casa Museu Frederico de Freitas).

Jongen met haan

Dit portret van een Madeirese boerenjongen is een van Henrique Franco's mooiste werken (Museu Henrique e Francisco Franco).

Vissersboten

Blauwe, rode, gele en witte boten voeren ooit volop in elke Madeirese vissershaven (Museu Etnográfico da Madeira).

Bewerkt ivoor

Bewerkte walvisbotten, uit de tijd dat de walvisjacht nog was toegestaan (Museu da Baleia).

Links *Laatste Avondmaal,* **São Salvador** Rechts **Kathedraal (Sé) van Funchal**

Kerken

Kathedraal (Sé) van Funchal

Deze kathedraal diende als voorbeeld voor de andere kerken op het eiland, met zijn *talha dourada* (verguld houtsnijwerk). Dit ziet u vooral in de kapel van het Heilige Sacrament, rechts van het hoofdaltaar *(blz. 8–9).*

Santa Clara, Funchal

Dit klooster werd in 1476 opgericht door João Gonçalves de Câmara, de zoon van Zarco *(blz. 15, 36).* Sinds de bouw is er weinig aan gewijzigd *(blz. 16–17).*

Igreja do Colégio, Funchal

De jezuïeten, een orde van missionarispriesters, bezaten grote wijngoederen in Madeira en besteedden een deel van hun rijkdom aan deze fraaie kerk. Hij is geheel bedekt met fresco's, verguld houtsnijwerk en keramiektegels. De jezuïetenschool ernaast is nu de universiteit van Madeira. *Praça do Município • Kaart P3*

Igreja do Colégio, Funchal

Igreja do São Pedro, Funchal

Tot de bouw van de kathedraal was dit de hoofdkerk van Funchal. Hij bevat veel verguld houtsnijwerk, deels 17de-eeuws. Het graan en de druiven die worden geoogst door engelen, in de rechterkapel, symboliseren het brood en de wijn van Christus' Laatste Avondmaal. Een sobere stenen plaat bedekt het graf van João de Mourarolim (overl. 1661), die de decoratie had bekostigd. *Rua do São Pedro • Kaart N2*

São Salvador, Santa Cruz

Deze gotische parochiekerk werd voltooid in 1512, toen de graftombe van koopman Micer João, gedragen door leeuwen, werd geplaatst aan de noordzijde. Ernaast ligt de kapel van de familie Morais (1522). Het altaar vertoont 16de-eeuwse schilderingen van het *Leven van Christus* door Gregório Lopes en de sacristie, te bereiken via een poort in manuelstijl, bevat een 16de-eeuws *Laatste Avondmaal* van beschilderd en bewerkt hout. *Kaart K5*

Igreja da Nossa Senhora da Conceição, Machico

Pêro Anes, architect van de kathedraal van Funchal, ontwierp waarschijnlijk ook deze kerk uit 1499. Let vooral op de zuiddeur; de witte marmeren pilaren uit Sevilla waren een geschenk van koning Manuel I (1495–1521). Dit geldt ook voor het Mariabeeld, bewaard in het tabernakel op het rijkversierde hoogaltaar. *Kaart K4*

Veel kerken in Funchal zijn open van 8.00–12.00/13.00 en 16.00–19.30 uur. Andere openen alleen voor diensten (ca. 8.00, 18.00 uur).

Capela dos Milagres, Machico

De Kapel der Wonderen krijgt zijn naam van het 15de-eeuwse Vlaamse kruisbeeld op het hoogaltaar. Dit werd wonderbaarlijk genoeg drijvend in zee gevonden, jaren nadat de oude kapel was weggespoeld door een overstroming in 1803. De oorspronkelijke kapel zou zijn gebouwd op het graf van Ana d'Arfet en Robert Machin, legendarische minnaars die hier in de 14de eeuw zouden zijn gestrand. *Kaart K4*

São Bento, Ribeira Brava

U ziet een leeuw en een basilisk (wiens blik mensen in steen zou veranderen) tussen de decoraties op de zuilen, doopvont en preekstoel van deze gotische parochiekerk. Let op het 16de-eeuwse Vlaamse *Geboortetafereel* en het Mariabeeld. *Kaart D5*

Senhora da Luz, Ponta do Sol

Senhora da Luz, Ponta do Sol

Deze fraaie kerk is in 1486 gesticht door Rodrigo Anes, een van de eersten die land op Madeira kregen van de Portugese koning. U ziet er een oorspronkelijk knoopwerkplafond, een 16de-eeuws Vlaams altaarstuk en een unieke keramieken doopvont, bedekt met groen koperoxide zodat het op brons lijkt. *Kaart D5*

Capela do Loreto, Loreto

Nog een mooi behouden historische kerk met knoopwerkplafond en gotische poorten van geïmporteerd wit marmer. *Kaart C4*

Religieuze figuren

St.-Laurentius
São Lourenço was het schip waarmee kapitein Zarco *(blz. 36)* naar Madeira voer in 1420.

St.-Vincentius
De beschermheilige van Portugal en van de wijnmakers is afgebeeld op het plafond van de kerk in São Vicente *(blz. 81)*.

Onze-Lieve-Vrouwe-van-Monte
Volgens lokale overlevering schonk Maria dit beeld aan een herderin *(blz. 26)*.

Onze-Lieve-Vrouwe-van-Terreiro da Luta
Dit enorme beeld *(blz. 78)* is gebouwd als dank voor de bescherming tijdens WO I.

St.-Anthonius van Padua
De in Lissabon geboren heilige preekt tot de vissen in het Museu de Arte Sacra *(blz. 10)* en de Visserskapel *(blz. 42)*.

St.-Ignatius Loyola
De oprichter van de jezuïetenorde is afgebeeld op de gevel van het Colégio *(blz. 40)*.

Christus Verlosser
Dit beeld uit 1927 *(blz. 87)*, op een klif, lijkt op het beroemde monument in de Braziliaanse hoofdstad Rio de Janeiro.

St.-Franciscus en St.-Clara
De beschermheiligen van Madeira's gebedshuizen, het Santa Claraklooster *(blz. 16)* en de São Franciscopriorij *(blz. 12)*.

Mary Jane Wilson
In India geboren oprichtster van een Madeirese leerorde.
Wilson Museum: Rua do Carmo 61. Geopend di–za 10.00–12.00, 15.00–17.00, zo 10.00–12.00 uur

Keizer Karel I
De voormalige Oostenrijkse keizer, begraven in Monte *(blz. 26)* en zaligverklaard door paus Johannes Paulus II.

Bent u speciaal naar een kerk gekomen die op slot blijkt te zitten, vraag dan naar de sleutel bij een nabijgelegen winkel of bar.

Links **Câmara Municipal** Rechts **Huis van de consuls**

Historische gebouwen

Alfândega, Funchal

Het douanehuis is in 1508 ontworpen door Pêro Anes (die ook de kathedraal ontwierp). Het werd gebouwd om belastingen voor de Portugese kroon te innen op Madeira's hout-, graan- en suikerexport. Nu huisvest het de regionale raad van het eiland. Op de bovenverdieping liggen drie prachtige kamers *(blz. 9)*. *Rua da Alfândega • Kaart P3 • 291-210500 • Op afspraak • Gratis*

Câmara Municipal, Funchal

Madeira's vroeg-19de-eeuwse stadhuis behoorde oorspronkelijk toe aan de graaf van Carvalhal *(blz. 24)*. Kijk op de binnenplaats naar de sierlijke balkons en het sensuele beeld van *Leda en de zwaan* (1880), dat hierheen werd gebracht toen de markt werd gebouwd in 1937 *(blz. 18)*. *Praça do Município • Kaart N3 • Vraag toestemming om de binnenplaats te bekijken*

Deur in manuelstijl, Alfândega (douanehuis)

Torenhuis, Funchal

Tegenover het Museu de Arte Sacra *(blz. 10–11)* ligt een statig gebouw met een *torre-mirante*. Deze torens, kenmerkend voor de rijkere herenhuizen van Funchal, werden gebouwd zodat de eigenaren binnenvarende schepen konden zien. Let op de deurklinken, gemaakt van grote ijzeren sleutels. *Rua do Bispo • Kaart P3*

Huis van de consuls, Funchal

Weinig traditionele Madeirese huizen zijn zo rijkversierd als dit 18de-eeuwse huis voor buitenlandse diplomaten. *Rua de Conceição • Kaart P3 • Gesloten voor publiek*

Visserskapel, Câmara de Lobos

In deze sobere, ontroerende kapel bij de haven komen vissers bidden voor en na hun zeereis. Muurschilderingen tonen het verhaal van St.-Anthonius van Padua (geboren in Lissabon), die een ongeluk waarbij zijn schip zonk overleefde. Hij was zo welbespraakt dat zelfs de vissen uit de zee naar zijn preken kwamen luisteren. *Câmara de Lobos • Kaart F6*

Igreja Inglesa, Funchal

De Engelse Kerk (1822) is een neoklassiek koepelgebouw in een fraaie tuin. Hij werd bekostigd via een publieke inzameling; Nelson, George II en de hertog van Wellington deden een bijdrage. *Rua do Quebra Costas • Kaart P2*

Capela de Santa Catarina, Funchal

Deze bij de haven gelegen kapel is in 1425 opgericht door Constança de Almeida, de vrouw van Zarco. Het was de eerste kapel die in Funchal werd gebouwd. *Jardim de Santa Catarina • Kaart Q2*

Onder een steen van de Engelse Kerk liggen gouden munten begraven, die de verbannen Napoleon betaalde voor een vat madera.

Universiteit van Madeira, Funchal

De 17de-eeuwse gebouwen van de oude jezuïetenschool worden nu gerestaureerd tot een nieuwe campus. De binnenplaats biedt een mooi uitzicht op de toren van de Igreja do Colégio *(blz. 40)*.
Rua dos Ferreiros • Kaart P3

Capela do Corpo Santo, Funchal

Deze 16de-eeuwse kapel in de Zona Velha (oude stad) werd gebouwd en beheerd door het gilde van São Pedro Gonçalves, een liefdadige organisatie die geld inzamelde voor vissers en hun gezinnen. *Rua Dom Carlos I • Kaart P5*

Banco de Portugal, Funchal

Het gebouw van de Banco de Portugal (1940) heeft traditionele elementen als een hoektoren met een aardbol, Griekse marmeren beelden en met fruit gevulde manden die weelde en overvloed verbeelden. Vlakbij staat het *Zarco Monument* (1927) door Francisco Franco, een beeld van de stichter van Funchal die naar de zee kijkt. *Avenida Zarco • Kaart P3*

Banco de Portugal

Flamboyante gebouwen in Funchal

Toyota Showroom

De voormalige Kamer van Koophandel aan de Avenida Arriaga is bedekt met tegeltableaus van Madeirees transport uit 1930–1940.

Nieuwe Kamer van Koophandel

De huidige Kamer van Koophandel zit in een 15de-eeuws pand bij de Rua dos Aranhas.

Pátio

De binnenplaats van de Pátio (Rua da Carreira 43), ca. 1860, heeft een dubbele trap naar het Vicentes Museum *(blz. 38)*.

Rua da Carreira

Een straat vol flamboyante ijzeren balkons – vooral op nummers 77–91 en 155.

Rua da Mouraria

In de antiekwijk staan veel voorname herenhuizen, zoals het Museu Municipal *(blz. 38)*.

Tuinhuis

Neem een kop thee, geniet van het uitzicht en zie de wereld langskomen vanuit een *casinha de prazer* (huis van plezier), zoals die in het Freitas Museum *(blz. 38)*.

Quintas

Weelderige landhuizen zoals de Quinta Palmeira *(blz. 45)* staan op de hellingen boven Funchal.

Casino

Het casino uit 1970–1980 aan de Avenida do Infante wordt 's avonds prachtig verlicht.

Apartamentos Navio Azul

Dit appartementenblok van ca. 1970 bij het Estrada Monumental lijkt een oceaanschip.

Kabelbaanstation

Funchals nieuwste openbare gebouw is een futuristische kubus van staal en glas, gelegen aan de Rua Dom Carlos.

Links **Jardim Botânico (botanische tuin), Funchal** Rechts **Quinta do Palheiro Ferreiro**

Tuinen

Jardim de São Francisco, Funchal

St.-Franciscus, de beschermheilige van de natuur, zou zeker zijn goedkeuring geven aan deze weelderige tuin in het centrum, gebouwd op de plek waar ooit een franciscanenpriorij stond. De tuin heeft maar de lengte van een straat, maar staat zo vol geurige en bloeiende planten, en schaduwgevende bomen, dat u zich midden in een jungle waant. *Avenida Arriaga • Kaart P2 • Gratis*

Jardim de Santa Catarina, Funchal

Op de wandeling van het centrum naar de hotelwijk ligt dit park over meerdere terraslagen, met prachtige uitzichten over de haven. Let op de beelden van Hendrik de Zeevaarder in het lagergelegen deel, van Christoffel Columbus bij de Capela de Santa Catarina *(blz. 42)* en Francisco Franco's *Semeador* (de zaaier, 1919, *blz. 39)*, die handenvol zaad over het gras lijkt te strooien. *Avenida do Infante • Kaart Q2 • Gratis*

Leeuwenreliëf in Quinta das Cruzes

Quinta das Cruzes, Funchal

Het bloemrijke terrein van dit 'archeologische park' *(blz. 14)* omvat grafstenen, een privékapel, een schitterende orchideeëntuin en een *casinha de prazer* (huis van plezier), dat op de muren balanceert en zo fantastisch uitzicht biedt *(blz. 14–15)*.

Monte Palace Tropical Garden

Monte Palace Tropical Garden, Monte

Deze boeiende botanische tuin omvat grotten, fonteinen, meren, visvijvers, Japanse tempels, stenen en bronzen beelden, en tegeltableaus *(blz. 28–29)*.

Quinta Magnólia, Funchal

De Quinta Magnólia, rond 1820 gebouwd als woning voor de Amerikaanse consul, huisvest nu de Foreign Culture Library. De palmtuinen (met openbaar zwembad, tennisbanen en speeltuin) liggen aan de terrashellingen van het Ribeira Secadal. *Rua do Dr Pita • ma–vr 9.00–zonsondergang • Kaart G6 • Gratis*

Quinta Vigia, Funchal

De liefdevol onderhouden presidentiële tuinen zijn geopend op werkdagen, tenzij er officiële gelegenheden plaatsvinden. *Avenida do Infante • Kaart Q1 • Gratis*

Quinta do Palheiro Ferreiro, Palheiro Ferreiro

Subtropische planten zijn op ongebruikelijke en creatieve wijze ingedeeld in een duidelijk Engels tuinontwerp *(blz. 24–25).*

Jardim Botânico, Funchal

Deze buitengewone tuinen tonen het gevarieerde plantenleven van Madeira *(blz. 20–21).*

Hospício Princesa Dona Maria Amélia, Funchal

Dit ziekenhuis, erg populair voor trouwfoto's, werd opgericht ter nagedachtenis van de Braziliaanse prinses Maria Amélia, die hier in 1853 overleed. *Avenida do Infante • Kaart Q1 • Gratis*

Quinta Palmeira, Funchal

Hoewel een nieuwe snelweg de sfeer hier wat aantast, houdt het voormalige landgoed van de wijnfamilie Gordon het midden tussen tuin en wildernis. Rozenperken, tegelfonteinen, grotten en jungleachtige gebieden wachten op restauratie. Let op het 15de-eeuwse Columbusvenster, gered uit de woning van João Esmeraldo. *Rua da Levada de Santa Luzia 31A • Kaart G6 • 291-221091 • ma–vr 9.00–12.00, 14.00–17.00 uur • Niet gratis*

Columbusvenster, Quinta Palmeira

Madeirese planten en bloemen

Koningsprotea
Deze Zuid-Afrikaanse planten lijken wel enorme artisjokken. Erg gewild voor boeketten.

Venusschoen
Deze orchideeënsoort bloeit in de wintermaanden en heeft jungleachtige schaduw nodig.

Mexicaanse poinsettia
Deze feestelijke plant bloeit met de kerst; vandaar de Nederlandse naam kerstster. De opvallende rode delen zijn de schutbladen, niet de bloem.

Aloë
De vlezige bladen met stekelige randen bloeien in lange kolven, tot 1 m hoog. Het sap wordt geoogst voor gebruik in aloë verahuidproducten.

Agapanthus
De blauw-witte bolbloesems van de Kaapse lelie zijn 's zomers volop te zien in de bermen van Madeira.

Strelitzia
Is het een vogel of een plant? Deze exotische, langlevende bloemen doen de naam paradijsvogelbloem eer aan.

Doornappel
Of ze nu wit, geel of oranje zijn, de trompetbloemen van de datura zijn mooi en geurig.

Aronskelk
Deze puur witte en zoet geurende lelies staan symbool voor Maria en maagdelijkheid.

Buteau monosperma
Deze bomen, met hun oranjerode hanekammen, stammen af van zaden die door kapitein Cook naar Madeira zijn gebracht in 1772.

Jacaranda
Funchals Avenida Arriaga verandert in een blauw lint als deze opvallende Braziliaanse bomen in het voorjaar bloeien.

Links **Strand bij Praia Formosa** Rechts **Rotspoelen, Porto Moniz**

Stranden

Praia Formosa

De steile kust van Madeira omvat niet veel stranden; kliffen en rotskusten zijn de norm. Het Praia Formosa (mooi strand), een strook grijze, door de zee gepolijste kiezels tussen Funchal en Câmara de Lobos, is daarop een opvallende uitzondering. Madeira's regering beseft sinds kort de waarde hiervan en heeft plannen opgesteld om het gebied rond het strand te verfraaien en de lelijke olieloodsen te verwijderen. *Kaart G6*

Câmara de Lobos

Câmara de Lobos

Madeira's fotogeniekste strand werd op de kaart gezet toen Winston Churchill, de beroemde Britse oorlogsminister, hier in 1949 zijn schildersezel neerzette. Churchill was een begenadigd kunstenaar met oog voor een goede compositie. Nu, bijna 50 jaar later, is het tafereel vrijwel gelijk; de kleurig gestreepte vissersboten liggen nog op een rij langs het kleine strand voor reiniging en reparatie. *Kaart G6*

Ponta do Sol

Het strand bij Ponta do Sol (punt van de zon) is perfect om de zon te zien ondergaan. Grillige wolken zweven als eilanden in de roze met paarse lucht. *Kaart D5*

Jardim do Mar

In oktober zoeken surfers de golven op aan dit smalle, op het westen gelegen rotsstrand, tussen Jardim do Mar en Paúl do Mar. Als u wilt surfen moet u zelf spullen meenemen, want die zijn hier niet te huur. *Kaart B4*

Porto Moniz

De branding stort zich bulderend op de noordkust, langs de panoramische kustweg naar Porto Moniz. Daar eenmaal aangekomen kunt u zich echter ontspannen in het zonverwarmde water van de natuurlijke rotspoelen, terwijl u het spatwater van dezelfde golven nog voelt. *Kaart B1*

São Jorge

Zo'n 2 km oostelijk van São Jorge leidt het bord *Praia* (strand) u naar het stroomdal van de São Jorgerivier, waar u kunt zwemmen in een poel in de bocht van de rivier of in de zee (toegankelijk via het kleine kiezelstrand). Een strandcafé verkoopt drankjes en snacks. *Kaart H2*

Prainha

Prainha, een lieflijke, beschutte baai met een strandcafé aan het oostelijke uiteinde, heeft het enige natuurlijke zandstrand van

Madeira. (Calheta aan de zuidkust heeft nu ook een zandstrand, maar dat zand is geïmporteerd uit Marokko.) *Kaart L4*

Garajau en Caniço

Een pad leidt vanaf het beeld van Christus Verlosser omlaag naar een strand, dat geliefd is voor snorkelen en duiken. Hier begint een zeereservaat met onderzeese grotten dat zich uitstrekt tot aan Caniço de Baixo, dat ook te bereiken is vanaf het Lido bij het Hotel Galomar *(blz. 49)*. *Kaart J6*

Praia dos Reis Magos

Vanaf Caniço de Baixo leidt een nieuwe zeepromenade oostwaarts naar Praia dos Reis Magos, een rotsachtig strand met enkele vissershutjes en wat eenvoudige cafés met versgegrilde vis. Deze plek is ideaal voor romantici die liever geen drukte om zich heen hebben. *Kaart J6*

Porto Santo

Is uw vakantie niet compleet zonder te zonnen op een zandstrand, neem dan een veerboot of vlucht *(blz. 103)* naar Porto Santo, 40 km ten noordoosten van Madeira. Hier geniet u van een 10 km lang, ongerept zandstrand *(blz. 95)*. *Kaart L2*

Lang zandstrand, Porto Santo

Mooie zwembaden

Savoy Resort
Het grootste en mooiste hotelzwembad *(blz. 112)*.

Reid's
Dit tuinzwembad ligt in de schaduw van palmen *(blz. 112)*.

Quinta Magnólia
Ooit voorbehouden aan de British Country Club, nu voor iedereen toegankelijk *(blz. 44)*.

Lido
Het grootste zwembadcomplex op Madeira, met toegang tot de zee. *Rua do Gorgulho • Kaart G6 • dag. 8.30–20.00 uur*

Clube Naval
Chiquere versie van het Lido, 1 km verder naar het westen langs de promenade. *Kaart G6 • dag. 10.00–18.00 uur*

Ponta Gorda
Eén baai verder westelijk vanaf de Clube Naval ligt Ponta Gorda, perfect voor peuters en met toegang tot zee. *Kaart G6 • dag. 10.00–18.00 uur*

Complexo Balnear de Barreirinha
Net ten oosten van het Fortaleza de São Tiago; klein zwembad maar goed duikplatform en toegang tot zee. *Rua de Santa Maria • Kaart Q6 • dag. 10.00–18.00 uur*

Santa Cruz Lido
Klein art-decocomplex met zwem- en poedelbaden, toegang tot zee en zicht op landende vliegtuigen. *Kaart K5 • dag. 10.00–18.00 uur*

Porto da Cruz
Natuurlijke rotspoelen met betonnen uitbouw; geniet van het zonverwarmde zeewater en de spray van de branding. *Kaart J3*

Caniçal
Splinternieuw openluchtzwembad met café, aan de westzijde van de haven. *Kaart L4*

Links **Duiken** Rechts **Golf**

Buitenactiviteiten

Helicoptervlucht

Tijdens een helicoptervlucht van 15 minuten over de dalen en ravijnen van Madeira voelt u zich net James Bond, en ziet u het eiland vanuit een heel ander perspectief. Het is niet goedkoop, maar absoluut onvergetelijk. *HeliAtlântis, Estrada da Pontinha, containerhaven Funchal • Kaart Q2 • 291-232882*

Panoramische ballon

Panoramische ballon

Een andere manier om Madeira uit de lucht te zien, is boven de stad zweven in een mandje onder de grootste gasballon ter wereld. Deze 20 m hoge bol tilt maximaal 30 passagiers 150 m de lucht in. U daalt weer af naar het strand via een elektrisch liermechanisme. *The Madeira Balloon, Avenida do Mar • Kaart Q3 • 291-282700 • Tochten elke 15 minuten, dag. 9.00–22.30 uur • Niet gratis*

Boottochten

In de vele cabines bij de haven van Funchal vindt u details over de mogelijkheden: van dagtochten naar Ilhas Desertas *(blz. 88)* en walvis- en dolfijntochten van een halve dag, tot kortere zonsondergangstochten. *Funchal Marina • Kaart Q3 • Albatroz: 291-223366 • Bonita da Madeira: 291-762218*

Diepzeevissen

Vistochten zijn overal in de haven te boeken. De vissen worden gemerkt om ervoor te zorgen dat ze weer worden teruggezet *(blz. 106)*. *Funchal Marina • Kaart Q3 • Turipesca: 291-231063 • Balancal: 291-794901 • Nautisantos: 291-231312*

Wandelen

Met meer dan 1600 km aan landelijke voetpaden om uit te kiezen, is het geen wonder dat er elk jaar duizenden mensen speciaal hierheen komen om te wandelen in de bergen en bossen van het eiland *(blz. 50)*.

Tennis

De vijfsterrenhotels van Madeira hebben hun eigen tennisbanen, maar u kunt ook spelen op de openbare banen in de Quinta Magnólia. U kunt reserveren bij de conciërgehut bij de ingang. *Rua do Dr Pita • Kaart G6*

Golf

In het oosten van het eiland liggen twee van de mooiste golfbanen van Europa, bij Santo da Serra en Palheiro Ferreira. Vervoer is te regelen vanaf Funchal, en de benodigdheden zijn te huur. *Clube de Golfe de Santo da Serra: Kaart K4. 550100 • Palheiro Golf: Sítio do Balancal, São Gonçalo • Kaart J5 • 291-790120*

Duiken

De heldere Atlantische wateren, het uitstekende zicht en de vele prachtige vissen en riffen maken Madeira tot een populaire plek voor duikers van alle leeftijden en niveaus. *Manta Diving Center, Hotel Galomar, Caniço de Baixo • Kaart J6 • 291-935588 • Madeira Divepoint, Carlton Madeira Hotel, Largo Antonio Nobre, Funchal • Kaart H6 • 291-239579*

Avontuurlijke sporten

Madeira's uitdagende platteland is geschikt voor allerlei avontuurlijke sporten, van bergbeklimmen tot hanggliden, maar er zijn nog niet veel bedrijven die georganiseerde excursies bieden. Een bedrijf dat dit wel doet is Terras de Aventura, dat zich bezighoudt met mountainbiking, jeepsafari's, offroadbiking, klimmen, kajakken, canyoning en paragliding. *291-776818 • www.terrasdeaventura.com*

Paardrijden

De Associação Hípica da Madeira kan lessen regelen voor beginners. Voor ervaren ruiters zijn er tochten met gids langs Madeira's mooie, smalle bergpaden en verborgen boswegen. *Quinta Vila Alpires, Camhino dos Pretos, São João de Latrão • Kaart H5 • 291-792582 • Geopend di 15.00–18.00, wo–zo 10.00–13.00, 15.00–18.00 uur (zo tot 19.00 uur)*

Paardrijden

Wilde dieren

Muurhagedissen

Te zien op elke zonnige rots of stoep. Ze eten fruit en vliegjes.

Kwikstaartjes

Dit vogeltje met zijn gele borst blijft altijd in de buurt van water, vandaar zijn Madeirese bijnaam 'wasvrouwtje'.

Zwaluwen

Zie ze bij zonsondergang langs de zeepromenade van Funchal zoeven om eten te vinden.

Torenvalken

Deze vogels met kastanjebruine rug bouwen hun nesten op de kliffen van de hotelwijk. U ziet ze in de lucht hangen op zoek naar hun prooi.

Buizerds

Zweven vaak op warme luchtstromen boven de dalen van Funchal en Curral das Freiras.

Roodborstjes

Het Madeirese roodborstje heeft net zo'n fraaie rode kleur als zijn verwant op het Europese vasteland, en zingt even mooi.

Sally lightfootkrabben

Deze donkerbruine krabben eten vaak algen van de getijdenrotsen. Ze gaan er heel snel vandoor bij dreiging, vandaar 'lightfoot'.

Iberische groene kikkers

Deze luidruchtige kikker met een heldergele rugstreep, geïmporteerd door de graaf van Carvalhal, heeft zich verspreid over elke vijver op het eiland.

Monarchvlinders

Deze grote oranje, zwarte en witte vlinders zijn te zien in alle Madeirese tuinen.

Zeeslakken

Zeeslakken worden traditioneel veel gegeten op Madeira, maar mogen nu slechts beperkt worden verzameld om overexploitatie te voorkomen.

Links **Wandelaars bij Rabaçal** Rechts **Water dat een *levada* voedt**

Feiten over *levada*-wandelingen

Wat zijn *levadas*?

Het woord *levada* betekent 'nemen'. Een *levada* is een irrigatiekanaal, dat water haalt waar het in overvloed aanwezig is en het daarheen brengt waar het schaars is. Madeira neemt dit idee over uit de bergen van Andalusië, waar deze kanalen *acequias* heten.

Waarom zijn ze gebouwd?

Er is volop water in de noordelijke bergen, maar heel weinig in het vruchtbare, zonnige zuiden waar de meeste gewassen worden verbouwd. Vroege kolonisten zochten een manier om water op te slaan en naar hun terrassen en velden te voeren. Zij legden de irrigatiekanalen aan die de basis zijn van het huidige netwerk.

Water en energie

Water was essentieel voor de groei van Madeira. Het voedde tarwe, suikerriet, druiven en bananen en dreef zaagmolens aan die bomen tot balken verwerkten voor de bouw en scheepsbouw, en draaide de wielen in de molens waar suiker werd vermalen.

Terrassen

Levada-onderhoud

Levadas vergden continu onderhoud; rotsverschuivingen en begroeiing die de doorstroom hinderden, moesten worden verwijderd. Er werden paden naast de kanalen aangelegd zodat de *levadeiro*, de onderhoudsman, zijn deel van de *levada* kon patrouilleren en in goede conditie kon houden.

Levadas als wandelpaden

Op een bezoek aan Madeira in 1974 beseften Pat en John Underwood dat onderhoudspaden van *levadas* perfecte wandelroutes waren, gemakkelijk te belopen en met spectaculaire uitzichten. Hun reisgids *Landscapes of Madeira* (Sunflower Books) lokte duizenden wandelaars naar het eiland.

Aanleg

De aanleg van *levadas* was een sterk staaltje techniek. Om de landcontouren te volgen moest men kanalen graven in steile klifwanden, of aquaducten bouwen over diepe kloven. Om ontoegankelijke plekken te bereiken liet men *levada*-bouwers in mandjes afzakken langs de kliffen.

Contourlijnen

Om te voorkomen dat het water zo snel stroomde dat er erosie zou optreden, volgen *levadas* de contouren van het landschap: ze kronkelen valleien in en uit, geleidelijk afdalend van de toppen van het centrale gebergte naar de bergkammen en terrassen in het zuiden.

Rondleidingen

Levada-wandelen gaat het eenvoudigst op een excursie met gids. Madeira Explorers en Nature Meetings zijn goede organisaties; in toeristenkantoren *(blz. 102)* vindt u details over andere bedrijven. *Madeira Explorers • 219-763701 • Nature Meetings • 291-200686*

Waterval in het Riscodal

Levada dos Tornos

U kunt een *levada*-wandeling combineren met een bezoek aan de Quinta do Palheiro Ferreiro *(blz. 24–25)*. Verlaat de tuin, sla rechtsaf en wandel omhoog naar het dorp. Let na het café op borden naar de Levada dos Tornos en het Jasmin Tea House, een ideale plek om te lunchen *(blz. 79)*.

Rabaçal

Als u de Paúl da Serra *(blz. 82)* bezoekt, kunt u een populaire route volgen vanaf Rabaçal. Loop naar het boswachtershuis en sla rechtsaf langs de *levada* met de borden 'Risco'. Na 20 tot 30 minuten lopen door een oerbos komt u bij een mooie waterval.

Tips voor de *levadas*

Gids van Sunflower

Neem altijd een nauwkeurige kaart en betrouwbare informatie mee. De gids *Landscapes of Madeira* van Sunflower biedt beide en wordt voortdurend bijgewerkt.

Afmetingen

Een typische *levada* is 0,5 m breed en 0,8 m diep, met smalle paden van 1 m breed.

Hoe ver kunt u lopen?

U kunt nu kiezen uit 2200 km aan *levada*-paden – het zou drie hele maanden duren om ze allemaal af te leggen.

Schoeisel

Paden kunnen modderig en glad zijn, dus draag stevige, weerbestendige schoenen met een goed profiel.

Temperatuur

Het kan koud en nat zijn als u hoger in de bergen van Madeira komt, dus neem warme, regenbestendige kleding mee.

Water

Er is overal water, maar dit is niet geschikt voor consumptie. Neem daarom uw eigen voorraad mee.

Tunnels

Neem een kleine zaklamp mee, zodat u door tunnels kunt lopen zonder uw hoofd te stoten.

Hoogtevrees

Sommige *levada*-paden leiden over hele steile hellingen. Ga terug als u zich duizelig voelt.

Laatste redmiddel

Als u echt hoogtevrees krijgt, kunt u afdalen in het *levada*-kanaal en daarlangs naar een veilige plek lopen.

Begroeiing

Levada-paden komen langs bomen die zijn begroeid met korstmos, en langs kliffen met mooie groene varens.

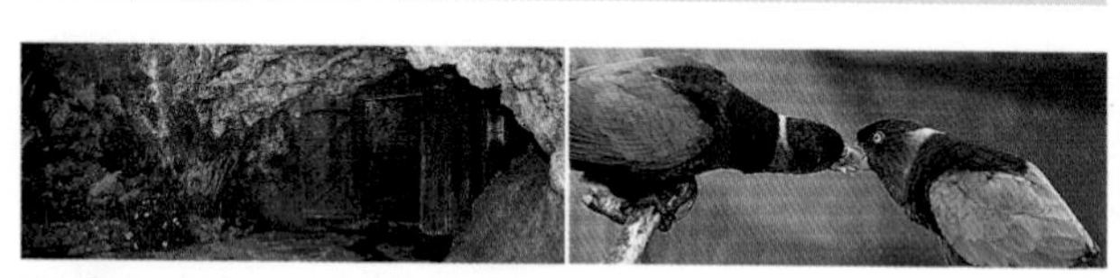

Links **Grotten bij São Vincente** Rechts **Papegaaienpark in Funchal**

Attracties voor kinderen

Grutas de São Vincente

Deze grotten werden gevormd door gesmolten steen. Via een rondleiding door de grotten, simulaties van uitbarstingen en een korte film leert u over de vulkanische oorsprong van Madeira. *São Vicente, Sítio do Pé do Passo • Kaart E2 • 291-842404 • Niet gratis*

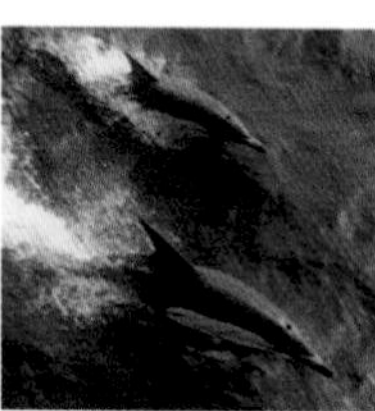

Dolfijnen kijken

Santa Maria de Colombo

Er zijn vele boottochten *(blz. 48)*, maar jongere kinderen zullen vooral genieten van een tocht op een replica van de Santa Maria, het schip waarmee Columbus de Atlantische Oceaan overstak. *Kaarten bij Marina do Funchal • Kaart Q3 • 291-220327 • Tochten dag. 10.30–13.30, 15.00–18.00 uur; schemercruises juni–sept.: 19.15–20.45 uur • Niet gratis*

Dolfijnen kijken

Bijna niets is spannender dan dolfijnen of walvissen in het wild zien. Deze excursie is echter meer geschikt voor oudere kinderen, aangezien geduldig wachten in dit geval niet altijd wordt beloond. *Kaarten bij Marina do Funchal • Kaart Q3 • Niet gratis*

Santa Maria de Colombo

Voetbal

Madeira heeft twee voetbalteams, Maritimo en Nacional, die in de Portugese eerste divisie spelen. Thuiswedstrijden zijn vriendelijk en geschikt als gezinsuitje. *Maritimo: Estádio dos Barreios, Rua do Dr Pita, Funchal • Kaart G6 • Nacional: Choupana Stadium • Kaart H5 • Niet gratis*

Twee bergtoppen

Het heeft iets magisch om in het zonlicht uit te kijken over de toppen van Funchal vanaf de Pico do Arieiro *(blz. 32)*, Madeira's op twee na hoogste bergtop met een hoogte van 1810 meter. De 5 km lange wandeltocht naar de Pico Ruivo, met 1862 m Madeira's hoogste bergtop *(blz. 77)*, is geschikt voor doorzetters van negen jaar of ouder.

Ribeiro Frio

De forellenkwekerij in Ribeiro Frio is leuk voor jonge kinderen, aangezien ze vissen in verschillende groeifasen van dichtbij kunnen zien. De wandeling van Ribeiro Frio naar Balcões *(blz. 51)* is veilig voor kinderen; de *levada* staat droog, dus als ze vallen lopen ze geen nat pak op. *Kaart H4*

Papegaaienpark

Afhankelijk van de leeftijd van uw kinderen kunt u met ze naar het vrolijke spel van papegaaien en parkieten kijken, of bespreken wat ze ervan vinden dat wilde dieren worden opgesloten voor vermaak. Nu u hier bent, kunt u ook de botanische tuin verkennen *(blz. 20–21)*.

Kabelbaan van Monte

De kabelbaan van Monte *(blz. 27)* lijkt wel een rit in een pretpark; u zweeft hoog boven het João Gomesdal. In Monte kunt u de Palace Tropical Garden *(blz. 28–29)* bezoeken. Kinderen onder de 14 mogen daar gratis in.

Forellenkwekerij, Ribeiro Frio

Winkelen

Als uw kinderen van winkelen houden, gaat u naar Madeira Shopping *(blz. 69)*. U vindt er merkmodezaken, fastfoodcafés, een bioscoop met zeven zalen en een bowlingbaan. *Cinemas Castello Lopes: 291-706760*

Zwemmen

Voor peuters is er een speciaal zwembad bij Ponta Gorda in de hotelwijk, even ten westen van Club Navale. Voor oudere kinderen die goed zwemmen is er het Lidocomplex in de hotelwijk, met een groot zwembad, zonneterrassen en toegang tot zee. *Kaart Q1*

Tips voor gezinnen

Hotels
Neem een vijfsterrenhotel voor extra faciliteiten als zwembaden, tennisbanen, speelhallen, minigolf en satelliet-tv.

Verwennerij
Madeirezen zijn gek op kinderen, dus uw kroost zal volop vriendelijke aandacht krijgen.

In het centrum
U kunt oudere kinderen gerust alleen laten rondlopen; er komt hier bijna geen misdaad voor.

Bioscopen in het centrum
Het Anadia Shopping Centre tegenover de hoofdmarkt van Funchal *(blz. 18–19)* omvat een bioscoop met twee zalen. *Kaart P4 • 291-207040*

Boot van de Beatles
Verankerd in beton aan de Avenida do Mar ligt een boot die in 1966 bezit was van de Beatles; een leuke plek voor een ijsje.

Speeltuinen
De beste speeltuinen in Funchal liggen op het terrein van de Quinta Magnólia en Jardim de Santa Catarina *(blz. 44)*.

Haven van Funchal
Kijk in de haven naar de vissen, boten en plaatjes die op de betonnen muren zijn geschilderd door bezoekende zeelui. Kaart *Q3*

Promenade
Gezinnen lopen over de Avenida do Mar en kopen snacks in Turks aandoende kiosks.

Porto Moniz
In de natuurlijke rotspoelen bij Port Moniz kunt u heerlijk baden in het warme, ondiepe water. *Kaart B1*

Porto Santo
Het bijna autovrije Porto Santo is ideaal om uw kinderen vrijuit te laten verkennen, op de fiets of lopend.

Links **Carnaval van Madeira** Rechts **Nieuwjaar**

Festivals

Kerststallen
In december zetten kerken en winkels kerststallen neer met de gebruikelijke personages, waaronder rustieke herders. Als u buiten de feestdagen op Madeira bent, kunt u antieke kerststalfiguren bekijken in de Quinta das Cruzes en de Casa Museu Frederico de Freitas *(blz. 38)*.

Bloemenfestival

Nieuwjaarsverlichting
Al vanaf begin december wordt er kleurige verlichting in de straten van Funchal gehangen. Rond Nieuwjaar wordt het nog spectaculairder: men opent de gordijnen en doet huis- en autoverlichting aan om zo Funchal te laten baden in het licht. Er wordt vuurwerk afgestoken en er weerklinken scheepstoeters en autoclaxons.

Carnaval
Carnaval wordt gevierd in de drie dagen voor Aswoensdag. Scholen, jeugdclubs en drumkorpsen trekken verkleed door de straten, en op de laatste dag is er een kleurige optocht door de stad. Het carnaval is minder wild dan dat in Rio, maar toch een goede kans om u even te laten gaan.

Bloemenfestival
Het carnaval is net voorbij als de praalwagens alweer tevoorschijnkomen voor het bloemenfestival in april. Dit festival is ooit in het leven geroepen als toeristische attractie, maar heeft de harten van de Madeirezen veroverd. Lokale verenigingen wedijveren vol passie met elkaar om de mooiste praalwagen te maken.

São Tiago
Funchal houdt een eigen 'dorps'-festival op 1 mei, als stadsnotabelen in processie door de Rua de Santa Maria naar de 18de-eeuwse barokke Socorrokerk lopen. Hier leggen ze hun ambtsketens aan de voeten van St.-Jacobus (beschermheilige van Funchal) en zweren ze opnieuw hem te eren voor het feit dat hij de stad in 1523 van de pest redde.

Festival do Atlântico
Het Festival do Atlântico, eind mei/begin juni, biedt vuurwerk, straatoptredens en muziek. Er zijn concerten door internationale sterren, maar ook door de deskundige lokale musici van het Orquestra Clássica da Madeira, het Orquestra de Mandolins en het blaasorkest van Funchal.

Maria-Hemelvaart in Monte
Maria wordt liefdevol aanbeden door godvruchtige Madeirezen omdat zij geloven dat ze genade toont voor menselijk leed. 15 augustus, de dag dat zij in de hemel zou zijn opgenomen, wordt

in Monte *(blz. 26)* gevierd met religieuze diensten en optochten overdag en feestmaaltijden, muziek en dansen 's avonds.

Ponta Delgada
Een ander belangrijk religieus festival vindt op de eerste zondag van september plaats in Ponta Delgada *(blz. 78)*. Pelgrims van het hele eiland komen bidden tot de Bom Jesus (goede Jezus), een Christusbeeld dat wonderbaarlijke krachten zou bezitten.

Wijnfestival
Medio september wordt de druivenoogst gevierd in Estreito de Câmara de Lobos, met volksmuziek en demonstraties druivenpersen op de ouderwetse manier: met blote voeten. Er zijn ook speciale, op wijn gerichte menu's en evenementen.

Nossa Senhora da Piedade
Deze kerk bij het strand van Prainha, in het oosten van Madeira, zit het hele jaar op slot. Op de derde zondag van september varen de vissers van Caniçal echter met een Mariabeeld vanuit hun parochie hierheen voor een speciale dienst. Daarna keren ze terug naar Caniçal om te feesten.

Festival do Atlântico

Feestelijke tradities

Straatversiering
Straten die veranderen in tunnels van bloemen vormen een onmiskenbaar teken dat er een feest aankomt.

Feestelijke planten
Bloemenkransen hangen aan palen, gewikkeld in takken zoete laurierbladeren.

Vlaggen en lampen
Witte lampen verlichten de nacht en overal wappert de Madeirese vlag, met een rood kruis op een witte achtergrond.

Voetzoekers
Knallende voetzoekers markeren het begin van een dorpsfestival (of een zege van een van de lokale voetbalteams).

Optochten en preken
Voordat de pret begint is er het serieuze gedeelte: een religieuze dienst ter ere van de beschermheilige.

Barbecues
Geen dorpsfestival is compleet zonder heerlijke runderkebabs, bereid op een barbecue gemaakt van een oud olievat.

Bolo de Caco
De kebabs worden gegeten met het sponsachtig brood *bolo de caco*. Dit zachte, platte zuurdesembrood wordt gebakken boven een steenoven.

Wijn
Festivals zijn ook een kans om lokale wijnen (en cider) te proeven die niet voor de commerciële verkoop zijn bestemd.

Muur van hoop
Op het bloemenfestival doen kinderen een wens en spelden ze boeketjes aan een bord voor het stadhuis.

Muziek en dans
Koper-, accordeon- en blaasorkesten, *filarmónicas* genoemd, verzorgen de muziek waarop de hele nacht wordt gedanst.

Links **Demonstratie rietvlechten** Rechts **Orchideeën bij Boa Vista**

Speciaalzaken

O Relógio, Camacha

Deze schatkamer van rietwerk ligt zo vol met meubels, bloempotten, manden en lampenkappen dat er nauwelijks ruimte is om rond te lopen. Er zijn ook demonstraties; in de vaardige handen van deze vaklui lijkt het buigen en vlechten van het riet veel gemakkelijker dan het in werkelijkheid is *(blz. 89)*. *Largo da Achada • Kaart J5 • 291-922114*

Boa Vista, Funchal

Deze orchideeënhandel is gespecialiseerd in felgekleurde *bromelia's* (luchtplanten), maar kweekt en verkoopt ook allerlei andere exotische planten. *Rua Lombo da Boa Vista • Kaart H5 • 291-220468*

Jardim Orquídea, Funchal

De Jardim Orquídea wil u ervan overtuigen dat orchideeën kweken makkelijker is dan u wellicht denkt. Bezoek het laboratorium en de orchideeëntuin met 50.000 planten. *Jardim Orquídea: 202 Marina Shopping Centre, Avenida Arriaga • Kaart Q2 • Laboratorium/orchideeëntuin: Rua Pita da Silva 37 • Kaart H5 • 291-281941*

Orchideeën

Patricio & Gouveia, Funchal

Kijk rond in de borduurwerkfabriek om te leren hoe traditionele ontwerpen worden overgebracht van perkament op linnen. Snuffel daarna in de winkel tussen de blouses, tafelkleden en nachtjapons met de schoonheid van antiek kantwerk. *Rua Visconde de Anadia 34 • Kaart P4 • 291-220801*

Caso do Turista, Funchal

Het 'toeristenhuis', dat in niets op zijn naam lijkt, is gevestigd in het elegante 19de-eeuwse landhuis waar ooit de Duitse consul woonde. U ziet er een uitgebreid assortiment Portugees zilver, keramiek, glaswerk en linnen. *Rua do Conselheiro José Silvestre Ribeiro 2 • Kaart Q2 • 291-224907*

Fado en volksmuziek

De Portugese *fado*, 's nachts in vele cafés te horen, kan verslavend werken. De nieuwste cd's van de supersterren in dit genre, zoals Ana Moura, Mariza, Mísia en Madredeus, haalt u bij cd-winkel Valentim de Carvalho aan de hoofdstraat van Funchal. *Marina Shopping Centre, Avenida Arriaga 73 • Kaart Q2 • 291-234920*

Gebak en banket

Voor zalige roomgebakjes *(pastéis de nata)* om zo op te eten, of *bolo de mel* (honingcake) of *amêndoa torrão* (amandelsnoep) om mee te nemen naar huis, gaat u naar Penha d'Águia of A Lua. *Penha d'Águia: Rua das Murças 21 • Kaart P3 • A Lua: Rua da Carreira 78 • Kaart P2*

Lederwaren

Er zijn volop modieuze lederwarenwinkels te vinden in de smalle straatjes ten noorden en zuiden van de kathedraal van Funchal *(blz. 8–9)*. De fabrieksoutlet Pele Leather heeft echter enkele van de beste koopjes, met een uitgebreid assortiment leren tassen, portemonnees, kleding, koffers en aktetassen.
Rua das Murças 26A, Funchal • Kaart P3 • 291-223619

Laarzenmaker bij Barros e Abreu

Barros e Abreu, Funchal

De traditionele lederen enkellaarzen van Barros e Abreu Irmãos zijn verrassend comfortabel, maar vallen thuis misschien teveel uit de toon, in tegenstelling tot de prachtige, tijdloze leren sandalen. Koop ze bij de kraam in de Mercado dos Lavradores *(blz. 18–19)*, of zie hoe ze worden gemaakt in het atelier in de Zona Velha. *Atelier: Rua do Portão de São Tiago 23 • Kaart Q5*

Boeken

De Livraria Pátio in Funchal biedt een goede selectie boeken over de geschiedenis, cultuur en dieren van Madeira, waaronder zeldzame antiquaire boeken. Een andere zaak in Funchal, met bijna alle boeken over Madeira die nog in druk zijn, is de charmant ouderwetse Livraria Esperança. *Livraria Pátio: Rua da Carreira 43 • Kaart P2 • 291-224490 • Livraria Esperança: Rua dos Ferreiros 119 • Kaart N3 • 291-221116*

Geschenken

Borduurwerk

Madeirees borduurwerk, zeer gewild bij couturiers, kent een bijzondere oorsprong: Bella Phelps begon ermee in 1844 om banen te creëren tijdens een terugval in de wijnhandel.

Tapijten

Tapijten, verwant aan het borduurwerk, worden al op het eiland geproduceerd sinds ca. 1890. Er zijn startpakketten voor enthousiaste amateurs.

Rietvlechtwerk

Madeirese rietvlechters, vooral te vinden rond Camacha, maken 1200 verschillende artikelen.

Wijn en likeur

Naast de versterkte wijn madera produceert het eiland *aguardente* (dit betekent 'rum', maar de drank lijkt meer op brandewijn) en fruitlikeuren.

Lederwaren

Lederen tassen en schoenen zijn een Portugese specialiteit.

Aardewerk

Een andere specialiteit is aardewerk, met Moorse ontwerpen of met de vorm van koolbladeren.

Banket

Feestelijke *bolo de mel* (honingcake), ooit een kersttraktatie, is nu het hele jaar verkrijgbaar. Het wordt gemaakt met rietsuiker, noten en vruchten.

Bloemen

Kleurige en lang houdbare bloemen zijn een mooi souvenir van dit 'bloemeneiland'.

Laarzen en sandalen

Handgemaakt van ruw leer, naar een tijdloos ontwerp.

Pompommutsen

Madeirese boeren blijven warm in dikke gebreide kabelmutsen en -truien van ruwe, ongeverfde wol.

Links **Adegas de São Francisco** Rechts **Diogos Wine Shop**

Wijnhandels

Adegas de São Francisco, Funchal

Deze *adegas* biedt gratis proeverijen en rondleidingen van 30 minuten door de zolderruimten. Voor diepgaander informatie neemt u de speciale Vintage Tour *(blz. 12–13)*.

Diogos Wine Shop, Funchal

De kelder van deze aangename wijnwinkel biedt een verrassing: een Christoffel Columbusmuseum, samengesteld door Mário Barbeito, die in 1946 het wijnbedrijf Barbeito oprichtte. Verder ziet u er antieke ansichtkaarten en boeken over Madeira. *Avenida Arriaga 48 • Kaart P2 • 291-233357*

Vinhos Barbeito, Funchal

Dit wijnhuis, opgericht door Barbeito, heeft een opvallende schoorsteen voor de *estufa*, de 'kas' waarin de wijn rijpt. Het ligt verscholen achter Reid's Palace Hotel. De proefkamer ligt achterin, achter de enorme vaten van Amerikaans eikenhout en satijnhout. *Estrada Monumental 145 • Kaart H6 • 291-761829*

Controle op sediment, Vinhos Barbeito

Artur de Barros e Sousa, Funchal

Deze zaak is een van de kleinste producenten op Madeira; zo klein dat de broers die het uitbaten alleen verkopen aan 'vrienden'. Gelukkig rekenen ze hieronder iedereen die binnenloopt. *Rua dos Ferreiros 109 • Kaart N3 • 291-220622*

Wijnvaten, Artur de Barros e Sousa

D'Oliveiras, Funchal

Dit wijnhuis bevindt zich in een charmante houten schuur, met een klinkervloer en een bewerkte stenen poort met het stadswapen en het jaar 1619. U vindt er wijnen vanaf 1850, evenals jongere wijnen, miniaturen en geschenkdozen. *Rua dos Ferreiros 107 • Kaart N3 • 291-220784*

Loja dos Vinhos, Funchal

Deze wijnwinkel is gunstig gelegen, in het hart van de hotelwijk, en blijft tot laat open. De zaak verkoopt flessen van alle belangrijke Madeirese producenten, waaronder enkele zeldzame flessen uit de 19de eeuw. Het personeel neemt ook telefonische bestellingen aan en kan deze bij uw hotel bezorgen. *Edifício Eden Mar, Loja 19, Rua do Gorgulho • Kaart G6 • 291-762869*

In 1925 werd de Adegas de São Francisco het hoofdkantoor van de destijds net opgerichte Madeira Wine Company.

Henriques & Henriques, Câmara de Lobos

De firma Henriques & Henriques, opgericht in 1850, heeft in de afgelopen jaren vele medailles en onderscheidingen gewonnen voor zijn pogingen om madera te bevrijden van zijn stoffige imago en een jongere klantenkring te winnen. Om dit te bereiken gebruiken ze stijlvolle, moderne label- en flesontwerpen, terwijl de wijnen zelf hun traditionele kwaliteit behouden. ✆ *Estrada Santa Clara 10 • Kaart F6 • 291-941551*

Quinta do Furão, Santana

Dit is een hotel, restaurant en wijnwinkel van de Madeira Wine Company, gelegen in een groot wijngoed bij Santana, op het noorden van het eiland. Bezoekers kunnen routes door de wijngaarden volgen en in de nazomer en het vroege najaar meehelpen met oogsten (en zelfs met het ouderwets stampen van de druiven). ✆ *Achada do Gramacho • Kaart H2 • 291-570100*

Lagar d'Ajuda, Funchal

Deze winkel vol houten balken is opgezet rond een antieke wijnpers en biedt een ruim assortiment aan port, sherry en Portugese regiowijnen, evenals madera van verschillende producenten. ✆ *Galerias Jardins da Ajuda, Estrada Monumental • Kaart G6 • 291-771551*

Luchthavenwinkel, Funchal

Als u ineens besluit dat u niet naar huis kunt zonder een fles madera kunt u terecht bij de duty-freewinkel van de Madeira Wine Company, op de luchthaven. Hier vindt u drie, vijf, tien en vijftien jaar oude wijnen, maar ook wijnen van meer dan 20 jaar oud, gemaakt van één druivensoort en één oogstjaar. ✆ *Kaart K5*

Maderaterminologie

Sercial
De droogste variant van de traditionele maderawijnen – heerlijk als aperitief of bij de soep.

Verdelho
Een taankleurige, middeldroge wijn, lekker bij het eten.

Bual/Boal
Een nootachtige dessertwijn, ideaal bij kaas of pasteitjes.

Malmsey/Malvasia
De rijkste en zoetste madera, het lekkerst na het eten.

Dry, Medium Dry en Medium Sweet
Wijnen met deze aanduiding zijn drie jaar oud en gemaakt van *tinta negra mole*-druiven. Ze hebben niet de volle smaak van echte madera.

Estufagem
In dit proces wordt de wijn gerijpt in vaten die in een *estufa* (kas) liggen, of verwarmd in tanks om nog sneller te rijpen. De tweede methode geeft ondergeschikte resultaten.

Canteiro
De term 'canteiro' op topkwaliteitswijnen verwijst naar langzame rijping in vaten die op natuurlijke wijze worden verwarmd door de zon.

Reserve
Mengeling van wijnen die zijn gemaakt met de twee *estufagem*-methoden, en met een gemiddelde leeftijd van vijf jaar. Veelal gemaakt met *tinta negra mole*-druiven.

Special Reserve
Een mengeling van wijnen, ongeveer tien jaar gerijpt in vaten. Meestal gemaakt met de nobele druivensoorten (de eerste vier items hierboven).

Vintage
De beste madera, minimaal 20 jaar gerijpt in vaten en nog eens twee jaar in de fles.

Voor meer over madera zie blz. 13

Links **Villa Cipriani** Rechts **Xôpana in het Choupana Hills Resort**

Restaurants

Les Faunes, Funchal

Reid's hoofdrestaurant wordt terecht geprezen om zijn creatieve kookstijl en verfijnde, ouderwetse service. Een plek voor speciale gelegenheden, met romantisch uitzicht op de baai. Kleding: formeel. *Reid's Palace Hotel, Estrada Monumental • Kaart H6 • 291-717171 • Gesloten dag. L, ma, juni–sept. • €€€€€*

Villa Cipriani, Funchal

Deze elegante zaak, genoemd naar Arrigo 'Harry' Cipriani en het Cipriani Hotel in Venetië, is eigendom van Reid. Het biedt een fraai zeezicht en een compact, klassiek Italiaans menu. Kleding: nette vrijetijdskleding. *Estrada Monumental • Kaart H6 • 291-717171 • €€€€*

Fleur de Lys, Funchal

Franse klassiekers maar ook moderne gerechten, zoals salade met gegrilde sint-jakobsschelpen, preiconfit en truffelvinaigrette. Kleding: formeel. *Savoy Classic Hotel, Avenida do Infante • Kaart H6 • 291-213000 • Gesloten dag. L, zo–ma • €€€€€*

Armada, Funchal

Het etnische thema van het Royal Savoy wordt voortgezet in het hoofdrestaurant. Probeer de kokosgarnalen, het rundvlees met vijf specerijen, of de eend met gember. Kleding: nette vrijetijdskleding. *Royal Savoy Hotel, Rua Carvalho Araújo • Kaart H6 • 291-213500 • Gesloten dag. L, zo–ma • €€€€*

Quinta da Casa Branca, Funchal

Dit toprestaurant in het 18de-eeuwse poorthuis van het moderne hotel Quinta da Casa Branca biedt lekkernijen als carpaccio van octopus met tomaat, en salade van hazelnoot en patrijs met chocoladevinaigrette. Kleding: nette vrijetijdskleding. *Rua da Casa Branca 7 • Kaart G6 • 291-700770 • €€€*

Quinta do Monte, Monte

De inrichting is traditioneel, maar er is niets ouderwets aan het menu. Probeer de salade van gesauteerde eendenlever met een glas droge sercialwijn. Kleding: nette vrijetijdskleding. *Caminho do Monte 192 • Kaart H5 • 291-780100 • €€€*

Brasserie, Funchal

Funchals elite heeft dit gekozen als vaste plek om te genieten van gerechten als zeebaars op olijven-aardappelpuree. Kleding: nette vrijetijdskleding. *Promenade do Lido • Kaart G6 • 291-763325 • €€€*

Brasserie

Voor prijsklassen van restaurants **zie blz. 71**

Casa Velha do Palheiro, São Gonçalo

Het zevengangsproefmenu in dit voormalige jachtverblijf, in 1804 gebouwd door de graaf van Carvalhal, is breed geïnspireerd. De geroosterde duif 'Apicius' dankt zijn bestaan aan de oud-Romeinse kookboekenschrijver, de gin-and-tonicsorbet is een grappige verwijzing naar het Engelse landhuisleven, en de sint-jakobsschelpensalade met *foie gras* is zalig. Kleding: formeel. *Rua da Estalagem 23 • Kaart H6 • 291-790350 • €€€€€*

Casa Velha do Palheiro

Xôpana in het Choupana Hills Resort, Funchal

Xôpana, ingericht door Didier Lefort met Aziatisch antiek, verwent zowel de ogen als de smaakpapillen. Voor een ongedwongen maal is er de perfecte hamburger, en voor de fijnproever zijn er creatieve gerechten. Kleding: nette vrijetijdskleding. *Travessa do Largo da Choupana • Kaart H5 • 291-206020 • €€€*

Boca do Cais, Funchal

Dit moderne restaurant ligt naast het zwembad in het Hotel Tivoli Ocean Park. Kies uit gunstig geprijsde fijnproeversgerechten als venkelsoep met gerookte zalm, gesauteerde eendenborst en kwartel, en Madeirese bouillabaisse. Kleding: nette vrijetijdskleding. *Rua Simplício dos Passos Gouveia • Kaart G6 • 291-702000 • Gesloten dag. L, zo • €€€*

Madeirese gerechten

Caldo Verde
'Groene soep', gemaakt met versnipperde kool, aardappels, uien en worst.

Açorda
Soep gekruid met knoflook en koriander, bereid met brood en olijfolie, en gegarneerd met een gepocheerd ei.

Espetada
Kruidig rundvlees van de barbecue, soms geserveerd aan spiezen die aan een houder hangen bij uw tafel.

Milho Frito
Gefrituurd maïsmeel (zoiets als Italiaanse polenta), traditioneel opgediend met *espetada*, hoewel patat nu gebruikelijker is.

Lapas
Zeeslakken, van de rotskusten van Madeira geplukt en gegrild met knoflookboter.

Bolo de Caco
Madeirees plat zuurdesembrood, boven op de oven gebakken. Wordt zo gegeten of met knoflook- of kruidenboter.

Espada
Kousenbandvis, een sappige witte vis, meestal zonder graten, en traditioneel opgediend met gebakken banaan.

Prego
Zalig Madeirees fastfood: gegrilde biefstuk in een broodje (op *prego special* zit ook nog ham en/of kaas).

Pargo
Lokaal gevangen zeebrasem, heerlijk en voedzaam, eenvoudigweg gegrild met olijfolie.

Bacalhau
Gedroogde en gezouten kabeljauw; heel traditioneel, al moet u het leren waarderen. Wordt op veel verschillende manieren opgediend, bijvoorbeeld met aardappels en ei of als ovenschotel met tomaat en ui.

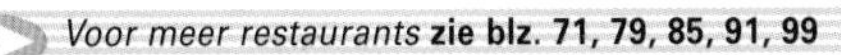

Voor meer restaurants **zie blz. 71, 79, 85, 91, 99**

MADEIRA VAN STREEK TOT STREEK

Links **Binnenplaats universiteit Funchal** Rechts **Fortaleza de São Tiago**

Funchal

Funchal werd gesticht in 1425 en kreeg in 1508 stadsrechten. In deze stad, die in 2008 haar 500-jarig bestaan viert, zijn veel fraaie historische gebouwen bewaard gebleven, ondanks branden, zeeroverij en aardbevingen. Funchal (venkel), de hoofdstad van Madeira, dankt haar naam aan de wilde venkelplanten die de eerste bewoners er in overvloed aantroffen. De stad ligt langs de zuidkust van het eiland in een natuurlijk amfitheater: aan de oost- en westkant is ze tussen kliffen ingeklemd en noordelijk wordt ze door steile bergen omringd. De wegen zijn geplaveid met zwart-witte mozaïeken, geflankeerd door jacarandabomen. De sterke geuren en de vele kleuren in de talloze parken en privétuinen geven Funchal een feestelijke aanblik. Architectuur en natuur gaan er prachtig samen.

Hoogtepunten

1. Zona Velha
2. De wijk Carmo
3. Kathedraalswijk
4. Rondom het stadhuis
5. Universiteitswijk
6. Avenida Arriaga
7. Rua da Carreira
8. São Pedro en Santa Clara
9. Hotelwijk
10. Haven

Blik over Funchal richting de verderop gelegen bergen

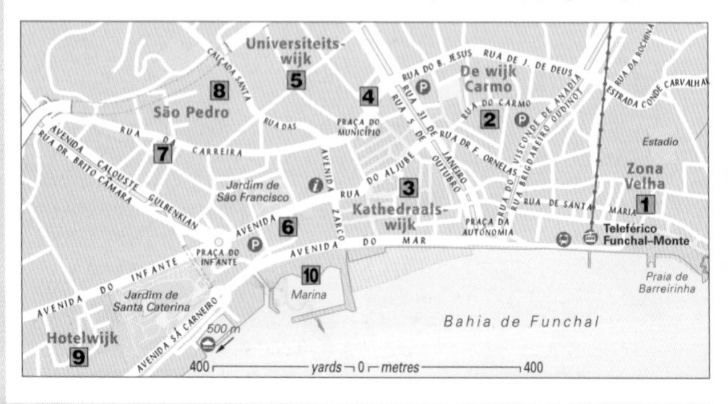

Voorgaande bladzijden **Funchals Câmara Municipal (stadhuis), aan de oostelijke kant van het Praça do Município**

Rua Santa Maria, Zona Velha

1 Zona Velha

Funchal was de eerste stad sinds de Romeinse overheersing die door Europeanen buiten Europa werd gebouwd. De bouw begon in de Zona Velha (oude stad). De oorspronkelijke nederzetting werd beschermd door het Fortaleza de São Tiago, nu het Museu de Arte Contemporânea *(blz. 68)*. Vandaag de dag zijn er veel restaurants te vinden bij de Capela do Corpo Santo *(blz. 43)*, waar vissers en scheepsbouwers indertijd woonden. Een promenade langs het water en een park verbinden de Zona Velha met het kabelbaanstation richting Monte *(blz. 52)* en de overdekte markt *(blz. 18–19)*. *Kaart P5*

2 De wijk Carmo

Carmo ligt tussen twee van de drie rivieren die vanaf de bergen door Funchal lopen. Paarse en rode bougainvilles hangen erboven. Een wirwar van nauwe straatjes loopt onder meer naar de 17de-eeuwse kerk in deze wijk, het Francomuseum *(blz. 39)* en IBTAM *(blz. 68)*. U vindt er fraaie gebouwen zoals het Huis van de Consuls *(blz. 42)*. *Kaart N4*

3 Kathedraalswijk

Toen Christoffel Columbus in 1498 bij zijn vriend João Esmeraldo verbleef, was de bouw van de kathedraal *(blz. 8–9)* en het Alfândega *(blz. 42)* nog in volle gang. Esmeraldo's woning is nu omgevormd tot het museum A Cidade do Açúcar *(blz. 38)*. Het Alfândega, vlak bij de gezellige terrasjes rondom de kathedraal, doet tegenwoordig dienst als Madeira's regionale parlementsgebouw. *Kaart P3*

4 Rondom het stadhuis

Chique boetiekjes liggen langs nauwe voetpaden die vanaf de kathedraal naar het enige open stadsplein lopen. Op dit plein, met een waaiervormige betegeling en in het midden een fontein, treft u bloemverkopers aan. Aan het plein vindt u het elegante stadhuis (Câmara Municipal) *(blz. 42)* en een mooi voormalig bisschoppelijk paleis, waarin tegenwoordig het Museu de Arte Sacra *(blz. 10–11)* is gehuisvest. *Kaart P3*

***Leda en de Zwaan,* buiten bij stadhuis**

5 Universiteitswijk

Levendige heiligenbeelden staan in de gevelnissen van de indrukwekkende Igreja do Colégio *(blz. 40)*, de grote en rijkelijk versierde jezuïetenkerk. Onlangs zijn de oude schoolgebouwen van de jezuïeten gerestaureerd en ze maken nu deel uit van het universiteitscomplex van Madeira *(blz. 43)*. In de zes blokken ten noorden van de campus en in de blokken aan weerszijden ervan ziet u authentieke boekwinkeltjes, met keien geplaveide wijnhuizen *(blz. 58)* en enkele van de oudste en fraaist versierde torengebouwen van Funchal. *Kaart N2*

São Pedro

6 Avenida Arriaga

Aan de brede en lommerrijke Avenida Arriaga liggen enkele bekende openbare gebouwen, zoals het regionale regeringsgebouw, het imposante Banco de Portugal *(blz. 43)*, de Adegas de São Francisco *(blz. 58)*, het toeristenbureau en de ernaast gelegen kunstgalerij, en de met bloemen gevulde São Franciscotuin aan de noordkant. Zuidelijk ligt het kolossale São Lourençofort, met muren die van kantelen zijn voorzien *(blz. 68)*. Tevens vindt u er de Toyotashowroom die aan de buitenkant met tegels is gedecoreerd *(blz. 43)*, het theater met bijbehorend *(blz. 70)* chic café, en diverse goede winkelgalerijen *(blz. 69)*. *Kaart P2*

Detail uit de Fortaleza de São Tiago

7 Rua da Carreira

Als u over de Rua da Carreira wandelt, wordt u eraan herinnerd waarom Funchal vroeger ook wel als 'Klein Lissabon' bekendstond. De elegante gebouwen langs deze drukke straat, met hun groene luiken en weelderige ijzeren balkons vol planten, doen denken aan de hoofdstad van Portugal. Op nr. 43 stapt u het Museu Vicentes *(blz. 38)* binnen; de belle-époquetrap geeft direct aan wat in dit huis de interieurstijl is. Westelijk ziet u een fraaie *casa de prazer* (tuinhuis) op de hoek van Rua do Quebra Costas; deze weg voert naar de afgelegen tuinen van de Igreja Inglesa (Engelse Kerk) *(blz. 42)*. *Kaart P2*

8 São Pedro en Santa Clara

Langs de straten ten noorden van de Rua da Carreira treft u enkele van de mooiste musea van Funchal aan. De Museu Municipal *(blz. 38)* in de Rua Mouraria wordt geflankeerd door een mooie kruidentuin. De São Pedrokerk *(blz. 40)* is voorzien van tegels uit de 17de eeuw. De steile Calçada de Santa Clara loopt naar het Freitasmuseum *(blz. 38)*, het Santa Claraklooster *(blz. 16–17)* en het Museu da Quinta das Cruzes *(blz. 14–15)*. Als u nog energie hebt, kunt u doorlopen naar het fort Fortaleza do Pico *(blz. 68)* voor een panoramisch uitzicht. *Kaart N2*

Calçadabestrating

De straten en pleinen van Funchal zijn kunstvormen op zich. Grijze basaltstenen en crèmekleurige kalksteen zijn kunstig in ingewikkelde mozaïekpatronen gelegd, zoals de waaiervormige patronen op het stadhuisplein en de heraldiekpatronen en bloemmotieven langs de Avenida Arriaga. Er zijn langs de Rua João Tavira, ten noorden van de kathedraal, zelfs volledige weergaven te zien van het wapen van de stad, een wijnhouder en het schip dat Zarco *(blz. 15)* naar Madeira bracht.

9 Hotelwijk

In de westelijke stadswijken kunt u wandelen door een aantal parken *(blz. 44)* en genieten van de gevarieerde art-decoarchitectuur van herenhuizen uit 1920–1940 die langs de Avenida do Infante staan. Deze weg loopt over het ravijn van Ribeira Seco (droge rivier) en krult langs Reid's Palace, het meest prestigieuze hotel van het eiland *(blz. 112)*. Op weg naar de kliftoppen boven de stad maken de herenhuizen plaats voor grote hotels, van tijd tot tijd afgewisseld met winkelcentra en restaurants.
Kaart Q1

10 Haven

Alles in Funchal kijkt uit over de bruisende zee en de bedrijvige haven, waar privéjachten, containerschepen en transatlantische cruiseschepen aanmeren. U kunt in het zonnetje over de Avenida do Mar struinen of er koffiedrinken en gebak proeven bij de uivormige kiosken langs de zeekant. Als u over de zeewering loopt, kunt u de stad vanuit een ander perspectief bekijken. *Kaart Q3*

Haven van Funchal

Een dag in Funchal

Ochtend

Een bezoek aan de **kathedraal** laat u kennismaken met de twee belangrijkste kerkelijke architectuurstromingen van Madeira: 16e-eeuwse gotiek en 18e-eeuwse barok.
Loop drie blokken noordelijk richting het **Museu de Arte Sacra**, waar de mooiste kunstvoorwerpen van Madeira u tonen hoe welvarend het was toen het voor Europa de belangrijkste suikerleverancier was.

Geniet van de relaxte sfeer op een van de terrasjes langs het **Praça do Município.**
Volg de Rua C Pestana en de Rua da Carreira naar het westen om de 'gevlochten' balkons te zien die de bovenverdiepingen sieren; trek er een halfuur voor uit om de tegelcollectie in het **Freitasmuseum** te zien voordat het om 12.30 uur sluit.

Middag

Kies een restaurant aan de **Rua da Carreira** voor een lunch in een ongedwongen sfeer, of zet koers richting de markt om de **Zona Velha** verder te verkennen.
Ga rond tweeën terug naar de Calçada de Santa Clara, bekijk de schaduwrijke tuinen en de van kunst voorziene kamers van de **Quinta das Cruzes**; bezoek dan met een gids het Santa Claraklooster.
Kom tot rust na deze culturele dag en volg om 16.30 uur de rondleiding door de Adegas de São Francisco – de oudste *adegas* van Madeira. Sluit de dag af met een wandeling over de Avenida do Mar, of geniet van het uitzicht over de haven vanaf het Santa Catarinapark.

Funchal kunt u het best van di–vr bezoeken. Kerken en musea zijn rond lunchtijd gesloten, maar de winkels en cafés blijven open.

Links **Cemitério Britânico**

Het beste van Funchal

Museu de Arte Contemporânea

Het 17de-eeuwse Forte de São Tiago biedt een grandioze setting voor eind-20ste-eeuwse kunst. *Rua do Portão de São Tiago • Kaart Q6 • 291-213340 • ma–za 10.00–12.30, 14.00–17.30 uur • Niet gratis*

Museu de Electricidade 'Casa da Luz'

De voormalige elektriciteitscentrale belicht alles wat ervoor nodig was om het eiland van stroom te voorzien. *Rua da Casa da Luz 2 • Kaart P4 • 291-211480 • di–za 10.00–12.30, 14.00–18.00 uur • Niet gratis*

Núcleo Museológico do Bordado

De geschiedenis van borduurwerk, wandtapijten en kunstnijverheid op Madeira, met een introductie tot de kleurrijke klederdracht van het eiland. Voorheen bekend als IBTAM. *Rua do Visconde do Anadia 44 • Kaart N4 • 291-223141 • ma–vr 10.00–12.30, 14.00–17.30 uur • Niet gratis*

Museu do Instituto do Vinho da Madeira

Expositie over de wijnproductie in het huis van Henry Veitch, de Britse consul in de napoleontische tijd. *Rua 5 de Outubro 78 • Kaart N3 • 291-204600 • ma–vr 9.00–18.00 uur • Gratis*

Palácio de São Lourenço

Dit fort belicht de piraat Bertrand de Montluc *(blz. 31)*. *Avenida Zarco • Kaart P3 • di–za 9.30–12.00, 14.00–17.30 uur (gesloten za middag) • Gratis*

Cemitério Britânico

Op dit parkachtige kerkhof liggen protestanten uit alle windstreken; de oeroude grafstenen tonen aangrijpende verhalen. *Rua da Carreira 331 • Kaart P1 • ma–vr 9.30–12.30, 14.00–17.00 uur (aanbellen bij poort) • Gratis*

Fortaleza do Pico

De klim naar het 17de-eeuwse Piekfort wordt beloond met weidse uitzichten en een museum over de geschiedenis van Funchals verdedigingswerken. *Rua do Forte • Kaart N1 • ma–za 9.00–18.00 uur • Gratis*

Lidopromenade

Een nieuwe promenade volgt westelijk van Funchal de klippen van het Lido naar Praia Formosa, met fraaie parken en steeds wisselende panorama's. *Rua Gorgulho • Kaart G6*

Museu do Brinquedo (speelgoedmuseum)

Meer dan een eeuw speelgoedgeschiedenis, van 19de-eeuwse poppen tot Barbies en een grote verzameling miniatuurauto's. Met op de parterre een restaurant. *Rua da Levada dos Barreiros 48 • Kaart G6 • 919-922722 • ma 14.00–18.00, di–za 10.00–18.00 uur • Niet gratis*

Museu Barbeito Cristóvão Colombo

De passie van één man voor Columbus legde de basis voor deze collectie historische boeken, gravures en portretten. *Avenida Arriaga 48 • Kaart P2 • 291-233357 • ma–za 9.30–13.00, 15.00–18.00 uur (gesloten za middag) • Niet gratis*

Links **Koolbladbord, Casa do Turista** Rechts **Borduurwerk in Bazar Oliveiras**

Winkelen

Mercado dos Lavradores
Maak er een gewoonte van om in Funchal dagelijks de boerenmarkt te bezoeken en picknickwaren of souvenirs in te slaan – of geniet simpelweg van de bonte drukte *(blz. 18–19).*

Madeira Shopping
Hier komen shopaholics volop aan hun trekken. U vindt hier Europese topmerken en meer dan honderd winkels onder één dak. Volg vanaf afslag São Martinho van de Via Rapida de bordjes of neem de gratis shuttlebus (alleen doordeweeks) vanaf de hotelzone. *Caminho de Santa Quitéria 45, Santo António • Kaart G5*

Casa do Turista
Alle elegantie van weleer: Madeirees en Portugees textiel, keramiek en zilver- en glaswerk in een statig herenhuis. *Rua do Conselheiro José Silvestre Ribeiro 2 (onder het Teatro Municipal) • Kaart Q2*

Galerias São Lourenço
In Funchals exclusiefste winkelcentrum vindt u alles, van zonnebrillen en kinderkleding tot keuken- en tafelgerei. *Avenida Arriaga 41 • Kaart P2*

Arcadas de São Francisco
De kasseien binnenplaats, waar eens wijnfusten werden gemaakt voor de Adegas de São Francisco, is nu een klein winkelcentrum met mode van topmerken, etnisch geënt woninginterieur en sieraden. *Rua de São Francisco 20 • Kaart P2*

Marina Shopping
Drie verdiepingen met elke denkbare winkel, van surfkleding tot boeken en van stijlvolle schoenen en tassen tot antieke prentbriefkaarten. *Avenida Arriaga 75 • Kaart Q2*

Rua das Murças
In deze smalle straat in het centrum bent u bij scherp geprijsde winkels als Bazar Oliveiras (nr. 6) aan het juiste adres voor lederwaren, borduurwerk, wandkleden en souvenirs. De meeste shops zijn dagelijks van 10.00–20.00 uur geopend. *Kaart P3*

Antiekwijk
Winkels met hedendaagse kunst of oude kaarten en gravures, kisten, kroonluchters, spiegels en Chinese specerijpotten, meubels en klokken. *Rua da Mouraria en Rua de São Pedro • Kaart P2, N2*

Bazar do Povo
Tegenover de Sé verkeert Funchals oudste warenhuis nog altijd in prima staat en doet zijn naam (volksbazaar) eer aan door van alles en nog wat aan te bieden, van dvd's tot vrome beeldjes. *Largo do Chafariz/Rua do Aljube • Kaart P3*

Rua Dr. Fernão Ornelas
Funchals hoofdwinkelstraat trakteert op een heerlijke mix van boetiekjes zij aan zij met kruideniers die koffie en gezouten kabeljauw verkopen. De meeste winkels zijn op zaterdagmiddag en zondag dicht. *Kaart P4*

Links **Casino da Madeira** Rechts **Teatro Municipal**

Nachtleven

Passeio

Meng u in de avond onder de Madeirezen op hun *passeio* langs de waterkant en doe u te goed aan het gebak uit de kraampjes langs de Avenida do Mar. *Kaart Q3*

Teatro Municipal

Het luisterrijke theater (uit 1888) is een podium voor recitals, hedendaagse dans, drama (meestal in het Portugees) en filmhuisfilms. Let op de affiches voor het huidige aanbod. *Avenida Arriaga • Kaart P2 • 291-220416*

Café do Teatro

De romantische nachttent voor Funchals *fine fleur*. Dit kleine maar elegante café, op een door palmen beschaduwde hof naast het theater, biedt naast cocktails en gezelligheid soms ook een dj. *Avenida Arriaga 40 • Kaart P2 • 291-226371*

Casino da Madeira

Naast gokkasten, roulette en blackjack kunt u hier ook terecht voor livemuziek in de Copacabana Bar of voor de dinnershows op woensdag, vrijdag, zaterdag en zondag. *Avenida do Infante (op het complex van het Pestana Casino Park Hotel) • Kaart H6 • 291-209180*

Chameleon Music Bar

Nachtbrakers in Funchal dansen hun zorgen weg in de vriendelijkste discobar ter plaatse, met eigen dj en op woensdag een liveband. *Rua Carvalho Araújo • Kaart H6 • 291-228038*

Discoteca Vespas

Drie eigen dj's, een internationale mix van pop en rock, topgeluid, spectaculaire lasershows en een jeugdige ambiance. *Avenida Sá Carneiro 7 (tegenover de containerhaven) • Kaart Q2 • 291-234800*

O'Farol

Hits van vroeger en nu hebben 'De Vuurtoren' gemaakt tot een favoriete disco voor wie te oud is voor Vespas, maar nog altijd wil swingen tot in de kleine uurtjes. *Pestana Carlton Hotel, Largo António Nobre • Kaart H6 • 291-239500*

Marcelino Pão e Vinho

Eén stem, twee gitaren, soms een accordeon – Portugals *fado* (lot) is poëtisch en melancholiek. Deze tot laat geopende wijnbar is Funchals authentiekste zaak. *Travessa da Torre 22A • Kaart P5 • 291-220216*

Volksmuziek en -dans

De Madeirezen zongen hun *charamba* om de dagelijkse sleur te verlichten. Op de meeste avonden bezoeken rondtrekkende musici en dansers het Marina Terrace aan de Avenida do Mar. U kunt ook een show boeken in het Cliff Bay Resort Hotel. *Cliff Bay: Estrada Monumental 147 • Kaart G6 • 291-707707*

Klassieke concerten

Funchals Mandolineorkest, het Orquestra Clássica de Madeira en het Brass Ensemble treden enkele keren per maand op. Let op de affiches langs de Avenida Arriaga.

Eatwell

Prijsklassen

Per persoon voor een driegangenmenu met een halve fles wijn, inclusief belasting en bediening.

€	tot € 15
€€	€ 15–€ 25
€€€	€ 25–€ 40
€€€€	€ 40–€ 60
€€€€€	vanaf € 60

Restaurants

Zarco's

Het is de korte taxirit meer dan waard om hier op het terras te zitten, met een tijdloos zicht vanuit het westen op de haven, en te genieten van klassieke Madeirese *espetadas* of rundvlees, kip en vis van de open grill. *Estrada Conde Carvalhal 136A, São Gonçalo • Kaart H6 • 291-795599 • €€*

Arsénio's

Luister elke avond vanaf 20.00 uur naar live vertolkte fado's terwijl u sappige kebabs verorbert in de Zona Velha. *Rua da Santa Maria 169 • Kaart P5 • 291-224007 • €€€*

Eatwell

Dit kleine restaurant hoort bij een cateringschool – de gerechten en bediening zijn dusdanig dat u er normaliter veel meer voor zou betalen. Tot de mooi gepresenteerde voorafjes behoren salades en eendenborst, gegrild op eucalyptushout. *Rua Dr. Pita 23a • Kaart G6 • 291-764020 (gesloten tijdens cateringevenementen) • €€€*

Arco Velho

Onder de talloze terrasjes in de Zona Velha springt Arco Velho eruit door de goede prijs-kwaliteitverhouding. Probeer eens gegrilde sardines en salade, met een glas lokale witte wijn. *Rua Dom Carlos I 42 • Kaart P5 • 291-225683 • €*

Marina Terrace

Een van de diverse visrestaurants in de open lucht rond de haven. *Cais da Cidade Marina do Funchal • Kaart Q3 • 291-230547 • €€€*

É pra Picanha

Braziliaanse specialiteiten als *picanha* (gegrild runderstaartstuk) en *feijoada* (bonengerecht). Ook vis en zeebanket; de kousenbandvis wordt met een passievruchtsaus geserveerd. *Edificio Infante Dom Henrique 206, Avenida do Infante • Kaart H6 • 291-282257 • Gesloten za laat, zo • €€*

Taj Mahal

Probeer eens de garnalentandoori, vis tikka masala en qulfi-ijs in dit stijlvolle Indiase restaurant, gehuisvest in een glazen serre achter het Savoy. *Rua Imperatriz Dona Amélia 119 • Kaart H6 • 291-228038 • €€*

Doca do Cavacas

Deze rustieke strandbar is vermaard om de verse vis, die wordt geserveerd bij het geluid van de brekende golven. *Rua Ponta da Cruz (westelijk van de Estrada Monumental) • Kaart G6 • 291-762057 • €€*

O Barqueiro

Het beste en meest gevarieerde visrestaurant van Madeira. Met het proefmenu zit u altijd goed als u geen keuze kunt maken; vermijd de te dure kreeft. *Rua Ponta da Cruz (westelijk van de Estrada Monumental) • Kaart G6 • 291-765226 • €€€*

Brasserie

Rode muren, zwart meubilair, wit tafellinnen – elegantie viert hier hoogtij. De keuken is modern Italiaans. Ook vegetarische gerechten. *Promenade do Lido (onder Hotel Tivoli) • Kaart G6 • 291-763325 • Gesloten ma en di L • €€€*

Quinta do Palheiro Ferreiro (Tuinen van Blandy)

Midden-Madeira

Midden-Madeira bestaat vrijwel geheel uit hoge vulkanische pieken en diepe ravijnen. Pas wandelend beleeft u optimaal de grandeur van dit landschap, maar dankzij enkele goed gesitueerde miradouros *(panoramapunten) kunt u zelfs over de weg reizend de nodige indrukwekkende foto's maken en een idee krijgen van de immense visuele aantrekkingskracht van het centrale gebergte. Noord en zuid contrasteren sterk. De zuidelijke hellingen, badend in de zon, zijn dichtbevolkt, met boerderijen met rode daken die worden ondergedompeld in een zee van wijnstokken en bananenbomen. De noordelijke hellingen zijn dichtbebost; langs de kuststrook vormen kleine terrassen op de steile valleiwanden een kleurrijke lappendeken van talloze groene tinten.*

Câmara de Lobos

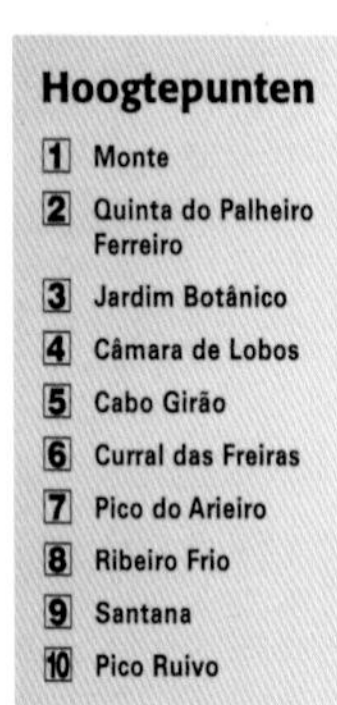

Hoogtepunten

1. Monte
2. Quinta do Palheiro Ferreiro
3. Jardim Botânico
4. Câmara de Lobos
5. Cabo Girão
6. Curral das Freiras
7. Pico do Arieiro
8. Ribeiro Frio
9. Santana
10. Pico Ruivo

Vorige bladzijden **Terrassen klimmen als een trap omhoog tegen de heuvel, in de buurt van São Vicente, West-Madeira**

Kabelbaan naar Monte

1 Monte

Met de kabelbaan vanuit de Zona Velha klimt u 600 m omhoog tegen Madeira's zuidwand naar een plaats die meer op een park lijkt dan op een dorp; oude bomen leveren voldoende schaduw, natuurlijke bronnen zorgen voor water *(blz. 26–27)*.

2 Quinta do Palheiro Ferreiro

Dankzij een periode van ballingschap in Engeland begin 19de eeuw ontwikkelde de eerste eigenaar van het landgoed, de graaf van Carvalhal, een liefde voor weides, bossen en riviertjes en legde zo de basis voor het huidige rijkgeschakeerde park *(blz. 24–25)*.

3 Jardim Botânico

Hier bevredigt u uw nieuwsgierigheid naar de namen en de herkomst van alle bloeiende bomen, palmen, succulenten en geurige klimplanten die overal op Madeira groeien – in voortuinen en openbare parken en langs weggetjes *(blz. 20–21)*.

4 Câmara de Lobos

De *lobos* (wolven) in de naam van dit mooie dorp verwijzen naar de monniksrobben die zich ooit op het kiezelstrand in de zon koesterden (*blz. 46*). Het strand doet nu dienst als openluchtwerf, waar traditionele boten gerepareerd of opnieuw in de verf gezet worden. Tussen de luidruchtige bars bedanken de dorpsbewoners in de Visserskapel voor de behouden terugkeer van hun mannen na een lange nacht op zee, waar ze op *espada* (kousenbandvis) vissen; de vangst belandt merendeels op de tafels van Madeira's talrijke restaurants. *Kaart F6 • Alle Rodoestebussen stoppen hier*

5 Cabo Girão

Madeira's hoogste klif, 580 m boven de oceaan, zou ook de op een na hoogste ter wereld zijn, maar de meningen verschillen over waar de hoogste dan ligt: in Noorwegen op de Orkneyeilanden of in Ierland. Van het uitkijkpunt op de top kijkt u op een *fajã*, een rotsplatform dat is ontstaan toen een deel van de klifwand miljoenen jaren geleden in zee tuimelde. De boeren verbouwen hier hun gewassen op mooi verzorgde terrassen. Wilt u deze van dichterbij zien, dan kunt u van Caldeira Rancho, aan de westkant van Câmara de Lobos, met de kabelbaan (*teleférico*) naar de voet van de klif. *Kaart E5 • Geen bus*

Jardim Botânico (Botanische Tuin)

Uitzicht op Curral das Freiras

6 Curral das Freiras

Een nieuwe tunnel verbindt nu het valleidorp Curral das Freiras met de wijde wereld, maar volg voor adembenemende panorama's de oude weg via Eira do Serrado. Op deze route krijgt u meteen een idee van hoe geïsoleerd het dorp indertijd lag *(blz. 30–31)*.

7 Pico do Arieiro

Het kleurrijke landschap van de op twee na hoogste berg op Madeira vertelt het verhaal van de vulkanische krachten die het eiland hebben voortgebracht en de strijd tussen de elementen (wind, regen) en de rotsen, die Madeira heeft geërodeerd tot puntige pieken en steile ravijnen *(blz. 32–33)*.

Driehoekige huizen

De bonte driehoekige huizen in het district Santana zijn vermoedelijk geïntroduceerd door vroege kolonisten uit boerenprovincies in Midden-Portugal. Nu doen ze dienst als woning of stal. Op een eiland met steile hellingen kan vee gemakkelijk omlaagstorten als het vrij mag grazen; het wordt daarom gehouden in de koele schaduw van de rietgedekte *palheiros*. De eigenaren brengen er meerdere malen per dag vers gras en bladeren naartoe.

8 Ribeiro Frio

De Ribeiro Frio (koude rivier) stort van de berg omlaag de vallei in en voert helder water aan richting een forelkwekerij, gelegen in een fraaie tuin met inheemse planten. Een deel van de forel belandt onvermijdelijk op het menu van Restaurante Ribeiro Frio ertegenover, een goede plek om een korte wandeling langs de droge *levada* naar Balcões (*blz. 51*) te beginnen of te eindigen. Een langere wandeling naar Portela begint net onder het restaurant; u hebt een kaart en gidsje voor de route nodig, maar ook op het eerste stuk krijgt u al fraaie kijkjes op het dichte groene bos. *Kaart H4 • São Roque de Faial, bus 132*

9 Santana

Santana trakteert op Madeira's mooiste voorbeelden van de

Driehoekige huizen, Santana

Het weer op de Pico do Arieiro is vaak vroeger op de ochtend en in de avond het helderst; plan uw wandeling dienovereenkomstig.

traditionele rietgedekte houten huizen – de *palheiros*. De bonte driehoekige huizen zijn comfortabel maar compact; veel ervan hebben nu een moderne uitbouw met keuken en badkamer, die oorspronkelijk ontbraken. U kunt naast de kerk een rij door het plaatselijke toeristenbureau geëxploiteerde huizen bezoeken en fotograferen, maar dwalend door het dorp ziet u er nog veel meer, met onberispelijke tuinen.
Kaart H2 • São Roque de Faial, bus 103, of SAM-bussen 53 en 78

Uitzicht vanaf de Pico Ruivo

10 Pico Ruivo

De hoogste piek bereikt u over de weg naast de benzinepomp aan de oostkant van Santana. Deze leidt naar de parkeerplaats bij Achada do Teizeira, vanwaar een verhard pad naar de top (1862 m) voert. Naar het zuiden kijkt u uit over de hoge toppen en puntige kammen van een aride vulkaanlandschap; naar het noorden hangen wolken over de welige, beboste hellingen. Vergeet bij terugkeer op de parkeerplaats niet om in een kom achter het huisje even te gaan kijken naar de geërodeerde rotsen die Homem em Pé (staande man) worden genoemd. *Kaart G3 • Geen bus*

Een dag in Midden-Madeira

Ochtend

Vertrek op z'n laatst om 10.00 uur uit **Monte** naar uw eerste halte – de **Pico do Arieiro**. (Doe bij te veel bewolking de trip in omgekeerde volgorde; het kan later opklaren.) Daal daarna af naar de **Ribeiro Frio** om de forelkwekerij te bezoeken en van de inheemse bloemen in de omliggende tuinen te genieten. Daal verder af langs de winkel en sla links het *levada*-pad richting **Balcões** in. Na een boswandeling van twintig minuten komt u bij een opening in de rotsen, waar u een fraai uitzicht over de pieken en valleien van Midden-Madeira hebt.
U kunt lunchen bij **Restaurante Ribeiro Frio** (*blz. 79*) of doorlopen naar **Santana**. Voor het geval u een eigen picknickmand wilt meenemen: er bevinden zich picknicktafels rond de Ribeiro Frio.

Middag

De hoofdbezienswaardigheden in Santana zijn de driehoekige huisjes. Volg na het bezichtigen daarvan de bordjes naar de Rocha do Navio Teleférico. Vanaf hier voeren een kabelbaan en een voetpad naar het **strand van Santana**.
Koers nu naar het westen op **Faial** aan. Op twee 'balkons' onderweg geniet u van indrukwekkende uitzichten op de **Penha de Águia** (arendsrots). Faial zelf biedt talrijke bewegwijzerde wandelingen.
Logeert u in Funchal, dan keert u het snelst terug door de bordjes naar Machico te volgen. Aan de zuidkant van een lange tunnel bereikt u de weg van de luchthaven terug naar de stad.

Oude suikermolen, Porto da Cruz

Het beste van Midden-Madeira

Terreiro da Luta
Vrome Madeirezen geloven dat Maria op deze plaats verscheen aan een jong herdersmeisje en haar het beeld schonk dat zich nu in de kerk in Monte bevindt. Het huidige monument verrees nadat Duitse U-boten in 1916 schepen in de Porto do Funchal hadden aangevallen; men riep de hulp van Maria in en het bombardement hield op. *Kaart H5*

Queimadas
Vanaf westelijk Santana voert eerst een weg en daarna een pad richting Quiemadas naar een huis met een tuin, vijvers en picknicktafels; het ligt diep in het groene hart van het bos dat als natuurerfgoed is aangemerkt. *Kaart H3*

Caldeirão Verde
Van Quiemadas brengt een mooie *levada*-wandeling u bij de 'Groene Ketel', een waterval die in een rotskom neerstort. Stevig schoeisel, een zaklamp en regenkleding zijn essentieel. *Kaart G3*

Ponta Delgada
Het mirakelbeeld in de kerk werd in de 16de eeuw drijvend op zee gevonden. Toen de kerk in 1908 afbrandde, werd het geblakerd maar intact teruggevonden. *Kaart F2*

Boaventura
Vanuit Boaventura kunt u goed de boomgaarden verkennen; ze krijgen hun water van de Levada de Cima. Neem een goede wandelgids mee *(blz. 50)*. *Kaart G2*

São Jorge
Deze barokkerk dateert uit 1761. Een 19de-eeuwse vuurtoren op de Ponta São biedt mooie vergezichten over de kust. Ten oosten van het dorp voert een weg naar een klein, beschut strand *(blz. 46)*.
Kaart H2

Faial
Het Fortím de Faial is een minifort dat in de 18de eeuw tegen piraten werd gebouwd. Ten zuiden van het dorp geniet u van het uitzicht op de Penha de Áquia en het pas gevormde rotsplatform (*fajã*), waar een deel van de rots in zee is gevallen. *Kaart J3*

Penha de Águia de Baizo
Deze 'Arendsrots' verrijst 590 m uit zee en werpt zijn schaduw over aanpalende dorpen. Jonge Madeirezen beschouwen de beklimming naar de top als een test van kracht en uithoudingsvermogen. *Kaart J3*

São Roque de Faial
Bij São Roque komen enkele valleien samen. U kunt vanaf de kerk in diverse richtingen wandelen – in het westen naar de Ribeiro Frio of naar het oosten richting de Tem-te Não (letterlijk 'Hou je vast; val niet'). *Kaart J3*

Porto da Cruz
De Zona Velha is een doolhof van kasseiensteegjes en oude wijnpakhuizen. Bij de suikermolen aan de haven kunt u de lokale *aguardente*-rum kopen. *Kaart J3*

Casa de Abrigo de Poiso

Prijsklassen

Per persoon voor een driegangenmenu met een halve fles wijn, inclusief belasting en bediening.

€	tot € 15
€€	€ 15–€ 25
€€€	€ 25–€ 40
€€€€	€ 40–€ 60
€€€€€	vanaf € 60

Restaurants

Jasmin Tea House, São Gonćalo

Populair bij wandelaars die de Levada dos Tornos (*blz. 51*) verkennen. De Engelse eigenaren serveren zelfgemaakte soep, thee met scones en verrukkelijk gebak. *Caminho dos Pretos 40 • Kaart H6 • 291-792796 • €*

Hortensia, São Gonćalo

Verder naar het westen van de Levada dos Tornos serveert Hortensia soep en gebak aan hongerige wandelaars. *Caminho dos Pretos 89 • Kaart H6 • 291-792179 • €*

Churrascaria O Lagar, Câmara de Lobos

Dit grote, roze paleis serveert volmaakt malse kip en runderbrochettes (knoflook!) met warme cakeachtige *bolo de caco*-broodjes, letterlijk druipend van de knoflookboter. *Estrada do João G Zarco 478 • Kaart F6 • 291-941865 • €€*

Lobos Mar, Câmara de Lobos

Probeer de zeeslakken, alikruiken, geroosterde kip of gegrilde vis, of kies voor de *dobrada* (pens) of de *feijoada* (bonengerecht). *Rua São João de Deus 8 • Kaart F6 • 291-942379 • €*

As Vides, Estreito de Câmara de Lobos

Bij het naderen van deze blokhut komt de verleidelijke geur van het op open vuur gegrilde vlees u al tegemoet. *Rua da Achada 17, Sítio da Igreja • Kaart F6 • 291-945322 • €€*

Nonnenvallei, Curral das Freiras

Heerlijke gerechten op basis van lokale kastanjes: geroosterd en gezouten, met groente in een smakelijke soep, in een overheerlijke cake of als likeur. *Casas Próximas • Kaart F4 • 291-712177 • €€*

Eira do Serrado

U kunt hier, 500 m boven Curral das Freiras, alleen al voor het fraaie uitzicht komen, maar het eten is eveneens uit de kunst, met een goede keuze aan gegrild vlees en vis. *Kaart G4 • 291-710060 • €€€*

Casa de Abrigo de Poiso, Poiso Pass

Het is hier vaak koeler en natter dan elders op Madeira, vandaar de grote open haard in deze bergpasherberg. De op de gloeiende kolen gebarbecuede Madeirese kebab is ronduit zalig. *Kaart E2 • 291-782269 • €€*

Restaurante Ribeiro Frio

Tegenover een forelkwekerij serveert deze bosherberg zowel gerookte als gegrilde forel, forelpaté en zelfgemaakte desserts. Spoel het eten weg met een glas lokale cider. *Kaart H4 • 291-575898 • €€*

Escola Profissional de Hotelaria, São Martinho

Eet waar de koks en obers op Madeira hun opleiding genieten. Bij deze hotelschool kunt u terecht voor lunch, thee en diner. *Travessa dos Piornais • Kaart G6 • 291-700386 • €€€*

Links **Paúl da Serra** Rechts **Seixal**

West-Madeira

De valleiweg die Ribeira en São Vicente verbindt via de Boca da Encumeada (Encumeadapas) vormt de grens tussen de hoge pieken van Midden-Madeira en de dorre, boomarme hoogvlakte van de Paúl da Serra in het westen. Het plateau wordt doorsneden door ontelbare kammen en ravijnen, als de plooien in een rok. In het noorden storten ze haast loodrecht in zee, met watervallen van honderden meters hoog. Op de lichtere hellingen in het zuiden en westen vormen zich boerendorpen. Hier ontsluiten nieuwe wegen steeds meer mooie gebieden van het eiland die nog maar weinig bezoekers hebben verkend.

Porto Moniz

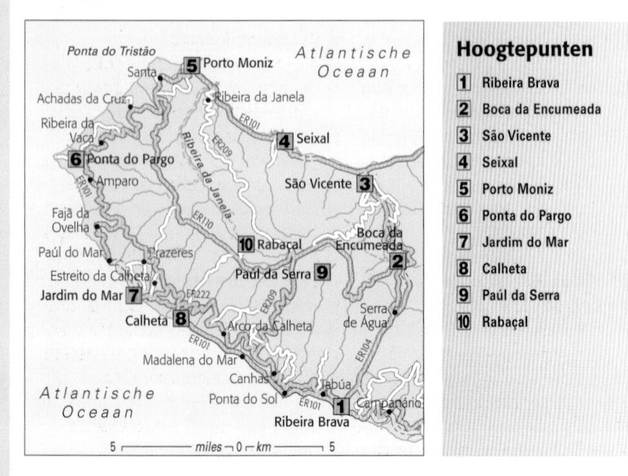

Hoogtepunten

1. Ribeira Brava
2. Boca da Encumeada
3. São Vicente
4. Seixal
5. Porto Moniz
6. Ponta do Pargo
7. Jardim do Mar
8. Calheta
9. Paúl da Serra
10. Rabaçal

1 Ribeira Brava

Ribeira Brava (wilde rivier) is een van de oudste plaatsen op het eiland en was al in 1440 een centrum van de suikerproductie. Beeldhouwwerk in de grote parochiekerk dateert van vlak na 1480. Aan de andere kant van het dorp kunt u bij het Museu Etnográfico da Madeira *(blz. 39)* Madeirese kunstnijverheid kopen. *Kaart D5 • Rodoestebussen 4, 6, 7, 80, 107, 115, 139 en 142*

2 Boca da Encumeada

De Boca da Encumeada (Encumeadapas) scheidt de stroomgebieden van het noorden en het zuiden van het eiland. Wolken uit het noorden 'druipen' vaak net over de bergkammen heen, als droog ijs dat uit een fles stroomt. Overal waar je kijkt, zie je majestueuze pieken, van de Pico Grande in het oosten tot de kegelvormige Crista de Galo in het westen. Net ten zuiden van de pas biedt de Levada do Norte (bordjes 'Folhadel') een heerlijke wandeling van een kwartier tot de plek waar het pad in een tunnel verdwijnt. *Kaart E3 • Rodoestebussen 6 en 139*

3 São Vicente

Dit lieflijke dorp aan de noordkant van de Boca da Encumeada is erg schildergeniek; de witgekalkte huizen met hun donkergroene luiken, deuren en balkons en ossenbloedrode stenen lateien en kozijnen tonen een fris kleurenspel langs de grijze basaltstraten. *Kaart E2 • Rodoestebussen 6 en 139*

Boca da Encumeada – zicht naar het zuiden

São Vicente

4 Seixal

De kustweg loopt nu grotendeels door tunnels, maar Seixal is een van de weinige plaatsen waar u nog steeds een indruk krijgt van de visuele pracht van de noordkust. Op hoge kliffen, die tot in de verte reiken, breken de machtige golven. Wijngaarden kleven op bijna verticale terrassen tegen de rotsen. Aan weerszijden van het dorp storten watervallen van de beboste hoogten omlaag. *Kaart D2 • Rodoestebussen 80 en 139*

5 Porto Moniz

Porto Moniz, de meest noordwestelijke gemeente van het eiland, combineert een bedrijvig boerenstadje – hooggelegen rondom een kerk – met een benedenstad die in het teken van eten en baden staat. Natuurlijke rotspoelen zijn omgetoverd tot een zeebadencomplex, waar de gast zich veilig kan laten overspoelen door de opspattende golven die op de rotsen voor de kust breken – een unieke belevenis. De visrestaurants langs de nieuwe boulevard behoren tot de beste op het eiland. *Kaart B1 • Rodoestebussen 80 en 139*

Vuurtoren, Ponta do Pargo

6 Ponta do Pargo

Madeira's meest westelijk gelegen punt is de beste plek op het eiland om van de zonsondergang te genieten of naar de golven te kijken die op de hoge kliffen van de zuid- en westkust beuken. De uit 1896 daterende vuurtoren op de kaap belicht met een kleine collectie kaarten en foto's de geschiedenis van de vuurtorens op alle archipeleilanden. Het plafond van de parochiekerk is bedekt met bonte schilderingen van zonsondergangen, terrasheuvels en de pittoreske plekjes van het westelijke deel van het eiland; ze zijn in de jaren 1990 aangebracht door een in het dorp woonachtige Belgische kunstenaar. *Kaart A2 • Rodoestebussen 107 en 142*

7 Jardim do Mar

Dit leuke dorp (tuin van de zee) ligt op het kruispunt van enkele oude keienpaden, die aan weerszijden tegen de kliffen omhoogklimmen. In het dorp zelf daalt een doolhof van straatjes af naar een kiezelstrand, waar in de winter surfwedstrijden worden gehouden. Een nieuwe zeeweg en een grote zeewering werden in 2004 voltooid. Volgens sommigen heeft het surfen daardoor aan kwaliteit ingeboet. *Kaart B4 • Rodoestebus 142*

Suikerrevival

De suikermolens in Calheta en Porto da Cruz dateren uit de 19de eeuw. De voorliefde voor snoepgoed in de deftigere Europese huizen leidde indertijd tot een grote vraag naar suiker van goede kwaliteit, en de Madeirese suikerindustrie beleefde een wederopbloei. Vooral de nonnen van Santa Clara *(blz. 16)* waren vermaard om hun confituren, marsepein en gekonfijte vijgen.

8 Calheta

Calheta's fraaie parochiekerk, een kleine replica van de Sé in Funchal *(blz. 8–9)*, staat op een terras halverwege de heuvel aan de westkant van het dorp. Binnen vindt u een kostbaar 16de-eeuws tabernakel van ebbenhout met ingelegd zilver en een rijkelijk versierd plafond boven het hoogaltaar. Naast de kerk staat de Engenho da Calheta, een van de twee nog overgebleven suikermolens op het eiland; de andere staat in Porto da Cruz *(blz. 78)*. Behalve *mel* (honing) voor Madeira's unieke *bolo de mel* (honingcake) produceert de molen *aguardente* (rum) uit gedistilleerde rietsuikersiroop. *Kaart B4 • Rodoestebus 142 • Kerk: geopend dag. 10.00–13.00, 16.00–18.00 uur • Engenho da Calheta: 291-822264. Geopend ma–vr 9.00–19.00, za–zo 10.00–19.00 uur*

9 Paúl da Serra

Het golvende plateau van de Paúl da Serra (bergmoeras) is de vergaarbak voor het water dat veel van de rivieren en *levadas* op het eiland voedt. Het absorbeert als een spons de overvloedige regen die valt wanneer wolken het eiland bereiken, stijgen en afkoelen.

Hoornvee begraast vrij rondlopend het welige grasland. Dorpsbewoners uit de omgeving plukken hier in de zomer wilde bosbessen en bramen, waarvan ze lekkere jam maken. Velen van hen zijn voor hun stroom aangewezen op de talrijke windmolens op het plateau. *Kaart D3 • Rodoestebus 139*

10 Rabaçal

Dankzij de regen die eeuwenlang van de vlakke, monotone Paúl da Serra omlaag is gestroomd, is Rabaçal een betoverende groene kloof in het moerasland. Een stevige wandeling van 2 km over een kronkelend teerpad voert door een heide- en bremlandschap naar een boswachtershuisje met picknicktafels. In Rabaçal beginnen twee populaire wandelingen (beide bewegwijzerd). De ene volgt de Levada do Risco naar de Riscowaterval (30 minuten heen en terug). De andere loopt over het volgende terras omlaag naar de 25 Fontes (25 bronnen), een komvormige poel gevoed door talloze watervallen (100 minuten heen en terug). *Kaart C3 • Rodoestebus 139*

Riscowaterval, Rabaçal

Een dag in West-Madeira

Ochtend

De eerste halte tijdens deze lange maar lonende trip is **Ribeira Brava**, 25 minuten van Funchal over de snelweg langs de zuidkust. Arriveert u te vroeg voor het **Museu Etnográfico** *(blz. 39)*, dan kunt u koffiedrinken aan het water of de kerk bezichtigen.

Rijd vanaf hier noordwaarts naar **Serra de Água**. Mijd de nieuwe tunnelroute naar São Vicente – de oude weg biedt spectaculaire panorama's. Beneden in **São Vicente** kunt u een korte, maar fascinerende rondleiding volgen door de lavagrotten op de westelijke oever van de rivier.

Volg de oude kustweg ('Antiga 101') naar **Porto Moniz**. De rotspoelen in de benedenstad zijn heerlijk verkwikkend na de rit. Na uw duik kunt u lunchen in een van de visrestaurants.

Middag

Rijd terug richting **São Vicente** en sla na 2 km rechts af naar **Ribeira de Janeia**. Na het dorp voert de weg omhoog door een wild landschap van Madeirees bos.

Rijd helemaal door tot de **Paúl da Serra**. Sla twee keer rechts af naar de parkeerplaats boven **Rabaçal**. Trek twee uur uit om deze boswereld met vogelgezang, riviertjes, met varens begroeide rotsen en dopheide te verkennen.

Keer terug naar Funchal over de Boca da Encumeada (Encumeadapas). Sla links af naar Vargem, ga dan nog eens links en volg de lange tunnel die bij Ribeira Brava op de snelweg langs de zuidkust uitkomt.

Links **Ribeira da Janela** Rechts **Ponta do Sol**

Het beste van West-Madeira

Ribeira da Janela
Deze wilde, onbewoonde en 18 km lange vallei mondt in zee uit naast een rotseilandje met een vensterachtig gat (vandaar de naam 'Venstervallei'). U daalt af door een mistige wereld van oude bomen, die vochtig blijven door condenserende wolken. *Kaart C1*

Fanal
Dit boshuis halverwege de Ribeira da Janela is het startpunt voor wandelingen door een alpien landschap met weides, rijk aan kruiden en oeroude laurierbomen. *Kaart C2*

Ponta do Sol
De Amerikaanse schrijver John dos Passos (1896–1970) bezocht in 1960 deze zonnige villa – het huis van zijn grootouders. Nu is het een cultureel centrum. *Kaart D5*

Lombada
Op een bergkam boven Ponta do Sol staat een van Madeira's oudste huizen – het 15de-eeuwse landhuis van Columbus' vriend João Esmeraldo *(blz. 65)*. De watermolen ertegenover wordt door een van de oudste *levadas* gevoed. De mooie kerk uit 1722 is bekleed met azulejo's van de Deugden. *Kaart D5*

Arco da Calheta
Een andere vroege kerk staat midden in dit uitdijende dorp – de midden-15de-eeuwse Capela do Loreto, gesticht door de vrouw van Zarco's kleinzoon. *Kaart C4*

Lombo dos Reis
De 'Koningenkam' is vernoemd naar de kleine, rustieke Capela dos Reis Magos (Driekoningenkapel), die een zeldzaam vroeg-16de-eeuws Vlaams altaarstuk van Christus' geboorte herbergt. *Kaart B4*

Lugar de Baixo
Boven de kleine zoetwaterlagune bij Lugar de Baixo exposeert een bezoekerscentrum foto's van de wilde vogels die op deze rotskust neerstrijken. Vermoedelijk ziet u echter eerder tamme eenden en waterhoenderen. *Kaart D5*

Prazeres
De priester in Prazeres heeft tegenover de kerk een kinderboerderijtje opgezet, maar de hoofdattractie is het bloemenrijke pad langs de Levada Nova, dat u oost- of westwaarts kunt volgen. *Kaart B3*

Paúl do Mar
U bereikt dit vissers- en surfdorp het best over de kronkelweg vanuit Fajã da Ovelha. Kijk onderweg uit naar een spectaculaire kloof. *Kaart A3*

Cristo Rei
Dit Christusbeeld (aan de ER209 richting de Paúl da Serra) doet denken aan het beroemde voorbeeld in Rio de Janeiro. Het is ook het startpunt voor gemakkelijke *levada*-wandelingen – westwaarts naar de Paúl da Serra, oostwaarts naar de watervallen bij Cascalho. *Kaart D4*

O Cachalote, Porto Moniz

Prijsklassen

Per persoon voor een driegangenmenu met een halve fles wijn, inclusief belasting en bediening.

€	tot € 15
€€	€ 15–€ 25
€€€	€ 25–€ 40
€€€€	€ 40–€ 60
€€€€€	vanaf € 60

Restaurants

Pousada dos Vinháticos, Serra de Água

Het eten is uitstekend, maar het uitzicht steelt de show. Hier geniet u van een weidse blik op Madeira's meest wagneriaanse berglandschappen, verlicht door de ondergaande zon. *Kaart E4 • 291-952344 • €€€*

O Virgílio, São Vicente

Deze 'Vergilius' springt er vergeleken met de andere visrestaurants aan de waterkant van São Vicente uit door diens excentrieke decor, authentieke Madeirese sfeer en perfecte sardines. *Kaart E2 • 291-842467 • €€*

O Cachalote, Porto Moniz

Gold lang als het beste lokale visrestaurant, maar moet nu concurrentie van ettelijke nieuwe restaurants in deze populaire vakantieplaats dulden. *Praia do Porto Moniz • Kaart B1 • 291-853180 • €€*

Orca, Porto Moniz

In de ronde eetzaal met grote ramen geniet u optimaal van de rotspoelen van Porto Moniz; het menu met *caldeirada* (viskasserol), zeebrasem en zeebaars smaakt er nog lekkerder door. *Praia do Porto Moniz • Kaart B1 • 291-850000 • €€*

Casa de Chá 'O Fío', Ponta do Pargo

Op een kliftop verwacht je geen theehuis. Velen maken echter de tocht voor de hartige zelfgemaakte soep en de kabeljauwgerechten met paprika. *Kaart A2 • €€*

Jardim Atlântico, Prazeres

De beste keuze voor vegetariërs die aan een eindeloos menu van omeletten willen ontsnappen. Het restaurant in het Jardim Atlântico Hotel betrekt zijn ingrediënten uit lokale tuinen. *Lombo da Rocha • Kaart B3 • 291-820220 • €€€*

Jungle Rain, Sítio do Ovil

Dit themarestaurant vol (plastic) boomstammen en tropische kruipplanten, in het midden van het dorre Paúl do Marplateau, is met zijn pasta's en spaghetti bolognese erg geliefd bij gezinnen. *Estalagem Pico da Urze • Kaart C3 • 291-820150 • €€*

Tarmar, Jardim do Mar

Eenvoudig, bescheiden restaurant aan de oostkant van het dorp, een van de beste in de omgeving voor vis en zeebanket. Op het terrasje eet u in de schaduw van bougainvilles. *Kaart B4 • 291-823207 • €€*

Santo António, vlak bij Ribeira Brava

Chic nieuw restaurant in glas-met-houtstijl, inclusief golfvormig dak. Prima zeebanket. *Lugar de Baixo • Kaart D5 • 291-972868 • €€€*

O Pátio, Ribeira Brava

In een doolhof van tuinen en terrassen kunt u hier smullen van eenvoudige, betaalbare gerechten als gegrilde zalm, biefstuk of kip. *Rua de São Bento 37 • Kaart D5 • 291-952296 • €€*

Links **Santa Cruz** Rechts **Fort van Machico**

Oost-Madeira

De meeste bezoekers vangen bij hun aankomst een glimp op van oostelijk Madeira. Ze vliegen aan over Machico, de op één na grootste stad, en rijden van de luchthaven over de zuidelijke snelweg naar Funchal. Maar dit deel van het eiland herbergt eveneens uitgestrekte ongetemde natuur, waar wegen ontbreken. De gehele noordkust bekoort met zijn spannende paden en duizelingwekkende kliffen. Een bezoekje waard zijn al evenzeer het historische walvisdorp Caniçal, het charmante stadje Santa Cruz en het glooiende, pastorale landschap van het Santo da Serraplateau, centrum van rietvlechtnijverheid.

Hoogtepunten

1. Garajau
2. Caniço de Baixo
3. Santa Cruz
4. Machico
5. Caniçal
6. Ponta de São Lourenço
7. De Ilhas Desertas
8. Portela
9. Santo António da Serra
10. Camacha

Vissersboten op het strand van Caniçal

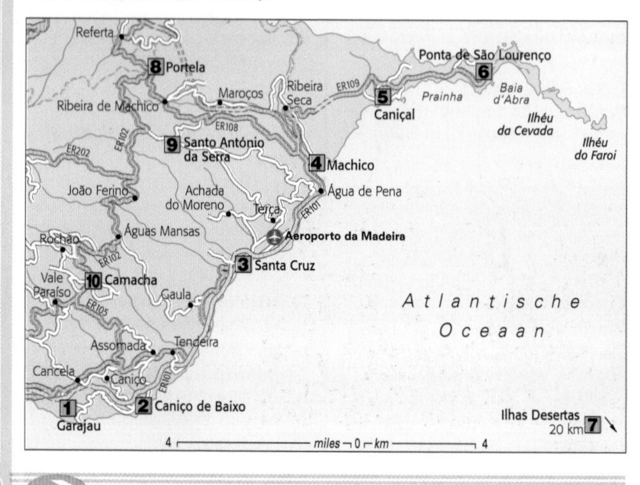

1 Garajau

In 1927 verrees op de ruige rotskaap aan de zuidkant van het dorp een miniatuurversie van het beroemde Christusbeeld in Rio de Janeiro. De sterns (*garajau* in het Portugees) waaraan het dorp zijn naam te danken heeft, zijn nog altijd te zien vanaf de paden die zigzaggend over de klif afdalen naar een kiezelstrand onder de kaap. Naar beide kanten strekt zich 2 km lang een rijkgeschakeerd zeereservaat uit (Reserva do Garajau), met onderwatergrotten en riffen *(blz. 90)*. ⊗ *Kaart J6*

Christusbeeld, Garajau

2 Caniço de Baixo

In de Rua Baden Powell, de hoofdstraat van dit vakantiedorp boven op de kliffen, exposeert het charmante villahotel Inn and Art *(blz. 115)* moderne kunst. Het openbare strandje Praia de Canavieira bereikt u via een gemakkelijk te missen laantje vlak bij de kruising met de Rua de Falésia. Het Galomarlido heeft een geringe entreeprijs (geopend in de zomer 9.00–19.00 uur, in de winter 10.00–17.00 uur). Het Manta Diving Centre op het lido organiseert uitstapjes naar het Reserva do Garajau *(boven)*. ⊗ *Kaart J6*

Galomarlido, Caniço de Baixo

3 Santa Cruz

Zo pal naast de startbaan van de luchthaven is het karakteristieke Santa Cruz verrassend vredig. Brandpunt is het strand, met cafés, *pastelarias* (patisserieën) en het azuurblauwe en roomkleurige Palm Beach Lido in art-decostijl. In de stad zelf steekt de 15de-eeuwse gotische kerk de kathedraal (Sé) in Funchal naar de kroon; mogelijk is deze kerk van de hand van dezelfde architect *(blz. 8)*. ⊗ *Kaart K5 • SAM-bus 20, 23, 53, 60, 70, 78, 113, 156*

4 Machico

In Machico zetten kapitein Zarco en zijn bemanning in 1420 voor het eerst voet op Madeira. De door hen gestichte kapel *(blz. 40)* staat aan de oostkant van de haven, in de schaduw van reusachtige vijgcactussen. Vóór de fraaie 15de-eeuwse parochiekerk op het hoofdplein gedenkt een standbeeld Machico's eerste gouverneur, Tristão Vaz Teixeira. Vanaf hier leiden kasseienweggetjes naar het zeefort. ⊗ *Kaart K4 • SAM-bus 20, 23, 53, 78, 113, 156*

5 Caniçal

Caniçal geniet de dubieuze eer een walvisvaarthaven te zijn geweest. In 1956 filmde John Huston hier de beginscènes van *Moby Dick*, maar hoofdrolspeler Gregory Peck werd zo zeeziek dat de rest van de film in de studio moest worden opgenomen. Het Museu de Baleia *(blz. 39)* licht toe hoe nu de bescherming van de walvissen vooropstaat. De tonijnvisserij is belangrijk voor de lokale economie. ⊗ *Kaart L4 • SAM-bus 113*

Vulkanische kliffen, Ponta de São Lourenço

6 Ponta de São Lourenço

De lange, smalle keten van geërodeerde vulkanische kliffen en ravijnen aan de oostpunt van Madeira vormt een spannende en dramatische wildernis. De aanwezige kustflora geniet bescherming als natuurreservaat. U kunt het rotsige schiereiland verkennen over het veelgebruikte pad dat bij de parkeerplaats aan het eind van de zuidelijke kustweg begint. *Kaart M4*

7 De Ilhas Desertas

De Ponta de São Lourenço is onder water verbonden met de Ilhas Desertas (onbewoonde eilanden), die deel uitmaken van dezelfde vulkanische formatie. Hoewel aride en onbewoond, huisvesten de eilanden allerlei zeldzame en bedreigde diersoorten, waaronder spinnen, monniksrobben, stormvogels en pijlstormvogels. De eilanden zijn door de Unesco aangemerkt als natuurerfgoed. Wilt u ze bezoeken, informeer dan bij een van de reders in de haven van Funchal naar dagtochten naar de eilanden *(blz. 52)*. *Kaart J1*

De Ilhas Selvagens

De aride en boomloze Ilhas Selvagens (wilde eilanden), 285 km ten zuiden van Madeira en 165 km ten noorden van Tenerife, behoren eveneens tot de Madeirese archipel. De kleine vulkaaneilandjes, in 1458 geclaimd door Portugal, herbergen de grootste broedkolonies van zeldzame pijlstorm- en stormvogels in Europa. Sinds 1976 zijn militaire schildwachten van het natuurwachtteam permanent gestationeerd op de eilanden om deze vogels te beschermen, die in het verleden gevangen, gezouten en gedroogd werden als delicatesse.

8 Portela

Bij het uitzichtpunt in Portela zijn volop wegcafés, omdat het ooit het transportknooppunt voor het oosten van het eiland was. Dat is allemaal verleden tijd sinds nieuwe tunnels São Roque do Faial en Machico verbinden, maar Portela blijft een ontmoetingsplek voor wandelaars.
U kunt vanaf hier zuidwaarts naar Porto da Cruz *(blz. 78)* lopen, over een pad dat wijndragers ooit gebruikten. Richting het westen loopt u langs de Levada do Poteia, door een dicht oerbos en een berglandschap naar Ribeiro Frio *(blz. 76)*. *Kaart J4 • SAM-bus 53, 78*

9 Santo António da Serra

Het dorp Santo António da Serra (door Madeirezen kortweg Santa da Serra genoemd) ligt midden op een plateau dat vlak genoeg is voor golfbanen *(blz. 48)* en voor weides met grazende koeien. Ondanks de regelmatige bewolking bouwden rijke Engelse kooplieden hier indertijd buitenhuizen: een van de vroegere huizen van de familie Blandy *(blz. 25)* is nu een openbaar park met camelia's, hortensia's en rododendrons en uitkijkpunten op de Ponta de São Lourenço. *Kaart J4 • Autocarros da Camacha, bus 77*

10 Camacha

Een monument in het centrum verklaart trots dat in 1875 de eerste Portugese voetbalwedstrijd ooit hier werd gespeeld, georganiseerd door een Engelse schooljongen. De grote trekpleister van het dorp is vlechterij O Relógio (De Klok) ertegenover *(blz. 56)*. In het atelier kunt u demonstraties bijwonen. Dwalend door de achterstraten stuit u overal op het gebruikte materiaal: bundels vers afgesneden wilgentenen. Men weekt ze in water en kookt ze vervolgens zonder schors; dan zijn ze buigzaam genoeg om ermee te kunnen vlechten.
Kaart J5 • Autocarros da Camacha, bus 29, 77, 110

Vlechterij O Relógio, Camacha

Een dag in Oost-Madeira

Ochtend

Volg vanuit Funchal de kustsnelweg richting de luchthaven tot aan de afslag São Gonçalo. Houd hier Camacha aan. U passeert de tuinen van de Quinta do Palheiro Ferreiro *(blz. 24)*. **Camacha** is beroemd om zijn vlechtwerk. Laat u in het atelier op het hoofdplein demonstreren hoe het wordt geproduceerd *(blz. 56)*.
Rijd verder naar **Santo António da Serra** voor een wandeling in het beboste park. Houd na het dorp op de splitsing links aan richting **Machico** *(blz. 87)*, met zijn kerken en fort. Afhankelijk van de tijd die u nog rest, kunt u besluiten om in **Caniçal** *(blz. 87)* al dan niet te stoppen voor de lunch en een bezoekje te brengen aan het Museu da Baleia *(blz. 39)*, dat gewijd is aan walvissen.

Middag

Ongeveer 3 km ten oosten van Caniçal bereikt u de parkeerplaats Prainha. Aan Madeira's enige natuurlijke zandstrand kunt u heerlijk zwemmen.
Sla op de minirotonde net voorbij de parkeerplaats links af voor een duizelingwekkend panoramisch uitzicht. Weer terug op de rotonde slaat u opnieuw links af. Rijd door tot u bij een grote parkeerplaats aankomt. Vanaf hier kunt u het eerste stuk 'proeven' van het pad dat over het boomloze schiereiland naar het oosten van het eiland leidt. Rijd terug richting Funchal en verlaat de kustsnelweg bij Santa Cruz *(blz. 87)*; hier vindt u volop restaurants.

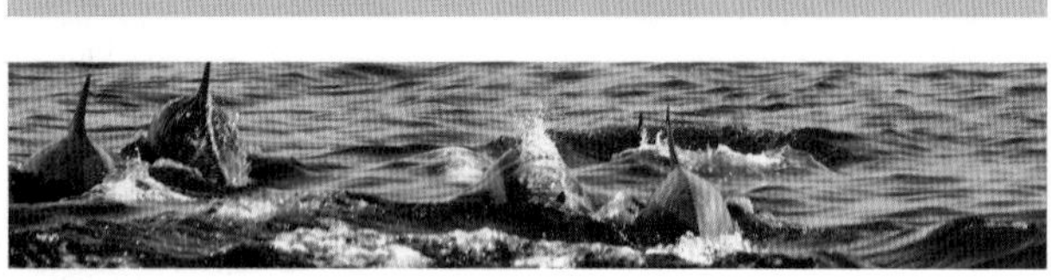

Tuimelaars

Zeereservaat Garajau

Monniksrobben
Op Europa's meest bedreigde zoogdier werd vroeger gejaagd door Madeirese vissers. De kleine overgebleven kolonie wordt nu beschermd. U kunt ze zien op tochten naar de Ilhas Desertas *(blz. 52, 88)*.

Potvissen
Vissers uit Caniçal vingen in 1981 hun laatste potvis. Dit is de walvissoort die u hoogstwaarschijnlijk ziet op walvisexcursies *(blz. 52)*.

Bultruggen
De bultrug vindt het heerlijk om uit het water op te springen en salto's te maken. Madeirezen signaleren deze sierlijke walvis in de winter regelmatig voor de kust. De soort telt nog slechts 20.000 exemplaren.

Grienden
Grote scholen grienden doen Madeira aan op hun trek van de subtropische wateren rond de Canarische Eilanden naar het noordpoolgebied, al blijft hun exacte route een raadsel.

Orka's
Ondanks hun reputatie hebben deze grote walvissen (de grootste leden van de dolfijnenfamilie) voor zover bekend nog nooit mensen aangevallen – ze hebben het eerder op andere walvissen gemunt. In het Madeirese warme water zwemmen regelmatig solitaire orka's rond.

Gewone dolfijnen
Ze komen niet meer zo talrijk voor om nog gewoon te zijn. Het aantal van dit bedreigde zoogdier groeit echter weer sinds de inrichting van Madeira's zeereservaat.

Tuimelaars
Deze dolfijnsoort is een ander zeezoogdier dat profiteert van de aanleg van het reservaat, dat zich over 200.000 km^2 uitstrekt vanaf de oostkant van Madeira tot de Ilhas Selvagens (wilde eilanden), een groep onbewoonde rotsen ten noorden van de Canarische Eilanden.

Meeuwen
Zilvermeeuwen en geelpootmeeuwen zijn de zeevogels die u hoogstwaarschijnlijk ziet op boottochten of in de buurt van vissershavens als Caniçal en Funchal.

Visdiefjes
Visdiefjes zijn verwant aan meeuwen, maar hebben een diep gevorkte staart en hun vlucht is heel sierlijk. Vanaf het uitkijkpunt in Garajau ziet u ze over het water scheren en naar kleine visjes duiken.

Pijlstormvogels
De pijlstormvogel scheert, amper klapwiekend, net boven de golven. Eens joegen vissers op hem als delicatesse. Op Madeira komen meer dan zes varianten voor, waaronder de grote pijlstormvogel.

Prijsklassen

Per persoon voor een driegangenmenu met een halve fles wijn, inclusief belasting en bediening.		
	€	tot € 15
	€€	€ 15–€ 25
	€€€	€ 25–€ 40
	€€€€	€ 40–€ 60
	€€€€€	vanaf € 60

Mercado Velha, Machico

Restaurants

California, Garajau
Uitnodigend decor door de vrolijke kleuren (geel, wit en blauw). Op de kaart staan zwaardvis, runderkebab, kousenbandvis, salades en heerlijke desserts. *Tegenover het Dom Pedro-hotel • Kaart J6 • 291-933935 • €€*

Pastipan, Santa Cruz
Schuif aan, bestel koffie en maak uw keuze uit een breed aanbod van zalige kwarktaarten, custard-puddingen en amandelgebakjes in deze terecht populaire tearoom, gelegen aan de promenade. *Travessa da Figueira • Kaart K5 • Gesloten zo • €*

La Perla, Canićo de Baixo
Gerechten als risotto au champagne en kalfsfilet met rozemarijn worden bereid met biologisch geteelde groenten uit de tuin. *Quinta Splendida Hotel, Estrada da Ponta Oliveira 11 • Kaart J6 • 291-930400 • €€€€*

Gallery, Caniço de Baixo
Het restaurant van het hotel Inn and Art is geliefd bij vegetariërs, voor wie een speciale dagschotel en allerlei salades op de kaart staan. De vis wordt op eucalyptushout gegrild. *Rua Baden Powell 61/2 • Kaart J6 • 291-938200 • €€€*

A Brisa do Mar, Canićal
Dit eethuis met glazen façade serveert heerlijke *doses* – tapas-achtige gerechten van garnaal of gestoofde octopus. Het restaurant ernaast grilt verse vis uit de haven. *Piscinas do Caniçal • Kaart L4 • 291-960700 • €€*

Bar Amarelo, Canićal
Tussen de gebouwen van Caniçal springt dit juweeltje aan de haven met zijn roomkleurige decor van kalksteen met staal ertussenuit. U hebt de keuze uit salades, pasta's en gegrilde vis.
Caniçal • Kaart L4 • 291-961798 • Gesloten wo • €€

Mercado Velho, Machico
De binnenplaats van de oude markt aan het water is omgetoverd tot een openluchtrestaurant dat vis en vlees van de grill serveert. *Rua do Mercado • Kaart K4 • 291-965926 • €€*

O Relógio, Camacha
Op vrijdag en zaterdag treedt hier een van Madeira's beste folkloristische groepen op. Naast de lokale gerechten kunt u kiezen uit specialiteiten als gerookte vis en gegrilde garnalen in een chili- en knoflooksaus. *Largo da Achada • Kaart J5 • €€*

Praia dos Reis Magos
Eenvoudig strandrestaurant; serveert zowat aan het water de dagelijkse vangst van de lokale vissers. *Praia dos Reis Magos (1 km ten oosten van Caniço de Baixo) • Kaart J6 • 291-934345 • €*

Miradouro de Portela, Portela
Gezellig restaurant dat is ingericht als een houten jachthut, met verwarmende haarden en overdadige porties gekruide runderkebab en zelfgebrouwen cider.
Portela • Kaart J4 • 291-96669 • €€

Links **Strand van Porto Santo** Rechts **Nossa Senhora da Piedade, Vila Baleira**

Porto Santo

Porto Santo ligt 43 km ten noordoosten van Madeira. Zarco (blz. 15) *en zijn bemanning schuilden hier in 1418 tijdens hun ontdekkingsreis langs de Afrikaanse westkust. Het eiland leek hem een goede uitvalsbasis en hij keerde in 1419 terug om hier de Portugese vlag te hijsen; het jaar daarop voer hij verder naar Madeira. Vroege kolonisten introduceerden konijnen en geiten, die het eiland al snel kaal vraten; Porto Santo is daardoor niet zo groen als Madeira. Maar het 'Gouden Eiland' heeft een ander groot goed: zijn schitterende zandstrand. Vakantiegangers uit Madeira en van het Europese vasteland genieten hier van zon, zee en het aangename gevoel heel ver van de jachtige wereld verwijderd te zijn.*

Hoogtepunten

1. Strand
2. Vila Baleira
3. Nossa Senhora da Piedade
4. Casa Museu Cristóvão Colombo
5. Promenade
6. Pico de Ana Ferreira
7. Ponta da Calheta
8. Zimbralinho
9. Fonte da Areia
10. Pico do Castelo

Zicht vanaf Ponta de Calheta, Porto Santo's meest westelijke punt

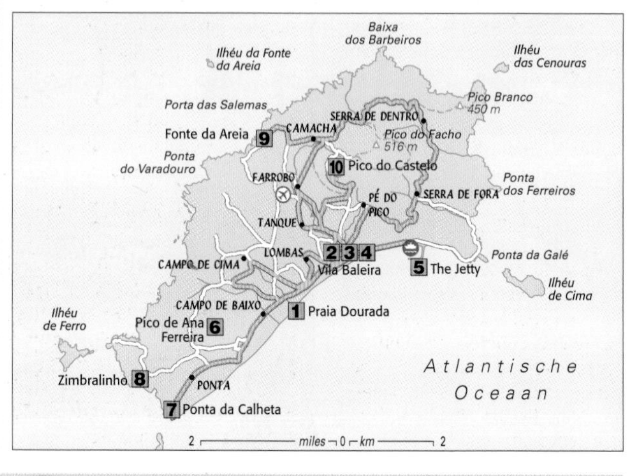

Vorige bladzijden **Typisch tegeltableau op het gebouw van de Portugese Kamer van Koophandel, Funchal**

De oude stad van Vila Baleira, de hoofdstad van Porto Santo

1 Strand

Boven op Porto Santo's vulkanisch gesteente werden miljoenen jaren geleden kalk- en zandsteen en koraal afgezet, onder een warme, ondiepe zee. Een dalende zeespiegel stelde het koraal bloot aan erosie en het resultaat is de schitterende 10 km lange zandzoom langs de zuidkant van het eiland. Met duinen en tamarisken in de rug is het strand schoon, wild en onbebouwd, al zijn zwemmers nooit ver weg van een strandtent. Aan het strand wordt zelfs therapeutische waarde toegeschreven: jezelf in het zand begraven zou verlichting geven bij reumatiek en artritis. *Kaart L2*

2 Vila Baleira

Alles op het eiland speelt zich af rond de hoofdstad, die ruwweg in het midden van de zuidkust ligt. Terrasjes vullen het centrale plein, het Largo do Pelourinho (schandpaalplein), waar vroeger misdadigers gestraft en openbare afkondigingen voorgelezen werden. Het raadhuis, met zijn dubbele trap geflankeerd door drakenbloedbomen, staat nu op de plek van de *pelourinho*. In de stoep ervoor dekt glas een stenen put af, waar men indertjd graan opsloeg. *Kaart L2*

3 Nossa Senhora da Piedade

Ten oosten van Vila Baleira's belangrijkste plein staat de majestueuze Igreja da Nossa Senhora da Piedade, voltooid in 1446. Van deze eerste kerk resten nog het gotische ribgewelf en de waterspuwers in de vorm van mensen- en dierenkoppen. Na verwoest te zijn door piraten werd de kerk in 1667 herbouwd. Het 17de-eeuwse altaarstuk van Christus' graflegging is van de hand van Martim Conrado. De heiligen aan weerszijden werden in 1945 geschilderd door de Duitser Max Romer *(blz. 13)*. *Kaart L2*

4 Casa Museu Cristóvão Colombo

Christoffel Columbus (1451–1506) kwam in 1478 naar Madeira als agent van een Lissabonse suikerkoopman. Hier huwde hij Filipa Moniz, dochter van de gouverneur van Porto Santo. Hun zoon werd in 1479 geboren, maar Filipa stierf kort daarop. In 1480 vertrok Columbus van de eilanden. Het huis waarin hij en Filipa zouden hebben gewoond, is nu een museum met portretten van Columbus, kaarten van zijn reizen en modellen van zijn boten. *Rua Cristóvão Colombo 12 • Kaart L2 • 291-983405 • Geopend di–vr 10.00–18.00, za–zo 10.00–13.00 uur • Gratis*

Casa Museu Cristóvão Colombo

Voor details over vluchten en ferry's naar Porto Santo **zie blz. 103**

Water, kalk en wijn

Water, kalk en wijn waren de economische pijlers. Mineraalwater werd gebotteld in de fabriek tegenover de oprijlaan naar het Torre Praiahotel. Ongebluste kalk (gebruikt in mortel), gemaakt in kalkovens zoals die bij de Torre Praia, werd naar Madeira en elders geëxporteerd. U kunt nog steeds Listrão Branco, de lokale versterkte wijn, kopen; de productie wordt echter elk jaar minder.

5 Promenade

Het palmenpad van het centrum van Vila Baleira naar de waterkant wordt omzoomd door plantsoenen met roestige kanonnen. Monumenten gedenken Columbus (een buste op sokkel), de 16de-eeuwse soldaten en zeelieden die Madeira koloniseerden (een obelisk met abstracte figuren) en de zeelieden die hun leven op de woelige baren waagden om Porto Santo met voedsel en brandhout te bevoorraden (een bronzen standbeeld van een zeeman aan het roer van een boot). *Kaart L2*

6 Pico de Ana Ferreira

Porto Santo bestaat in feite uit een lagere bergrug die ligt tussen twee groepen kegelvormige vulkaanbergen. Met 283 m is de Pico de Ana Ferreira de hoogste berg aan de verder ontwikkelde westkant van het eiland. Een weg omhoog over de zuidelijke helling voert u naar de 17de-eeuwse São Pedrokerk. Vanaf hier leidt een pad om de berg heen naar een in onbruik geraakte groeve met een interessante formatie van prismatische basaltzuilen, die heel toepasselijk de Orgelpijpen worden genoemd. *Kaart L2*

Basaltstructuren op de Pico de Ana Ferreira

7 Ponta da Calheta

De meest westelijke punt van het eiland is een schitterend ongerept gebied, met een reeks stille zandbaaien; u bereikt ze door over de geërodeerde rotsen te klauteren. Vanaf de bar en het restaurant aan het einde van de kustweg kijkt u uit op Ilhéu de Baixo, het grote onbewoonde rotseiland ten zuidwesten van Porto Santo. Aan de verre horizon ziet u ook Madeira opdoemen als een immense walvis, gewoonlijk bedekt door wolken. *Kaart K2*

Het ruige, azuurblauwe kustgebied van Zimbralinho

8 Zimbralinho

Zimbralinho is de mooiste van alle kleine rotsbaaien langs de westkust en is met zijn transparante blauwe zee populair bij zwemmers en duikers. De baai is op z'n best rond lunchtijd; vroeger en later op de dag ligt hij namelijk in

Wilt u wandelen op Porto Santo, koop dan een speciale wandelgids bij een winkel of het toeristenbureau ter plaatse.

Geërodeerde kliffen, Fonte da Areia

de schaduw. Het pad naar de baai begint aan het eind van de weg naar het Centro Hipico, aan de westpunt van het eiland. *Kaart K2*

9 Fonte da Areia

Eens borrelde het water rechtstreeks uit de zandsteenkliffen bij de Fonte da Areia (zandfontein), maar in 1843 werd de bron geregu-leerd; u kunt het natuurlijke, door gesteenten gefilterde mineraalwater nu proeven door simpelweg een kraan open te draaien. Het pad naar de bron voert door een door de wind uitgesleten ravijn, met blootliggende lagen van hardere en zachtere gesteenten. Geliefden hebben hun namen in de rotswand gekerfd, maar de hevige wind oefent hier een dermate sterke eroderende werking uit dat slechts tien jaar geleden ingekerfde verklaringen van eeuwige liefde nu alweer vervagen. *Kaart L1*

10 Pico do Castelo

De hoge berg ten oosten van Vila Baleira, de Kasteelpiek, is ondanks deze naam nooit versterkt geweest. Vanaf de 15de eeuw verschansten de eilandbewoners zich hier bij piratenaanvallen. Op het uitkijkpunt vlak bij de top herinnert een kanon nog aan dit woelige verleden. Op de kasseienweg ernaartoe rijdt u tussen de cipressen, ceders en pijnbomen door; dankzij hun aanplanting geven de zandhellingen nu een groenere indruk. *Kaart L1*

Een dag op Porto Santo

Ochtend

Een huurauto *(blz. 98)* is ideaal voor deze tocht, maar deze is ook te volgen per taxi. Rijd allereerst van **Vila Baleira** *(blz. 95)* noordoostwaarts naar het uitkijkpunt bij Portela. Vlakbij ziet u drie windmolens van een type dat vroeger veel voorkwam op Porto Santo. Rijd verder rond het oostelijke uiteinde van het eiland tot een afslag naar rechts u naar het strand van Serra de Fora brengt. Ongeveer 2 km verder naar het noorden wacht Serra de Dentro met zijn traditionele stenen huizen. Vanaf de Pico Branco hebt u een mooi uitzicht.
Op de kruising bij Camacha leidt links een berijdbaar pad naar de **Pico do Castelo**. Het pad gaat al snel over in een verharde weg. De top trakteert op een fraaie panoramische blik op het midden van het eiland. Weer beneden kunt u lunchen in een van de cafés of bars.

Middag

De eerste halte na de lunch is de **Fonte da Areia**. Porto Santo oogt droog, maar telt toch ook diverse natuurlijke bronnen, zoals deze. Rijd verder naar Campo de Cima. Rijdend langs de landingsbaan ziet u enkele van de weinige op het eiland overgebleven wijngaarden die nog altijd wijn produceren.
Volg de weg, de **Pico de Ana Ferreira** op. Neem te voet een kijkje bij de uiterst fraaie basaltzuilen. Rijd daarna verder over de schitterende westpunt van het eiland, de **Ponta da Calheta**. Voordat u terugkeert naar Vila Baleira zou er nog voldoende tijd over moeten zijn om op het strand te ontspannen, te zwemmen of wat te drinken in de strandbar.

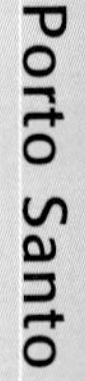

Links **Winkelen in het Centro Artesanato** Rechts **Wandelen over het strand**

Activiteiten

Sightseeing

Op een twee uur durende tour in een dubbeldekker met open dak krijgt u een goede indruk van het eiland. De bus vertrekt dagelijks om 14.00 uur vanaf de bushalte bij het benzinestation aan de oostkant van de pier. *Kaart L2*

Per auto verkennen

Taxi's bieden billijk geprijsde eilandtochten (circa €15 per persoon), maar als u het eiland liever op eigen houtje verkent, kunt u een auto huren bij Moinho Rent-a-Car. *Kaart L2 • 291-983260*

Per fiets verkennen

Auto Acessórios Colombo (tegenover de weg naar het Torre Praiahotel) verhuurt fietsen en scooters. *Kaart L2 • 291-984438*

Strandwandeling

Van Vila Baleira kunt u over het ononderbroken strand wandelen naar de Ponta da Calheta *(blz. 96)*. Er spoelen veel tropische schelpen aan en soms boonvormige zaden. Die zaden worden Columbusbonen genoemd, omdat Columbus door hun vondst op het idee zou zijn gekomen om aan de overkant van de Atlantische Oceaan naar land te gaan zoeken. *Kaart L2*

Watersporten

Mar Dourado, op het Praia da Fontinha onder het Torre Praiahotel, verhuurt waterfietsen en kajakken. Hier kunt u ook terecht voor paragliding, waterskiën en boottochten. *Mar Dourado • 965-354781 • Kaart L2*

Zeilen

Zeiltochten brengen u naar anders ontoegankelijke baaien en eilanden aan de westkant van Porto Santo. Een aanrader voor wie het gevoel wil beleven op zijn eigen onbewoonde eiland te zitten. *Farwest Sailing Trips • Kaart L2 • 914-843985*

Duiken

Dankzij de onvervuilde zee en de afwezigheid van commerciële visserij zijn Porto Santo's kusten rijk aan zeeleven. Bij Porto Santo Sub, aan de haven, kunt u zich daarvan zelf laten overtuigen. *Porto Santo Sub • Kaart L2 • 916-033997*

Paardrijden

Bij Porto Santo's onlangs geopende Centro Hípico (paardrijcentrum) kunnen ook beginners paardrijden; het bevindt zich bij Ponta, aan de westkant van het eiland. *Centro Hipico, Ponta • Kaart K2 • 291-983258*

Golfen

Onlangs is een gloednieuwe golfbaan met achttien holes, Porto Santo Golfe, in bedrijf genomen op de oostelijke flank van de Pico do Ana Ferreira. *Kaart L2 • 291-983778*

Winkelen

Schelpen, modelboten en andere souvenirs met een nautisch thema zijn overvloedig voorradig in Porto Santo's kunstnijverheidswinkels; u vindt ze in het Centro do Artesanato, naast de pier. *Kaart L2*

Links **Hotel Porto Santo** Rechts **Strandrestaurant Mar e Sol**

Restaurants en accommodatie

Pé na Água, Vila Baleira
U zit nog net niet met de 'voeten in het water', zoals de naam suggereert, maar wel in het zand. De kok kookt een zalige *arroz morisco* (rijst met zeevruchten), gegrilde vis en kebab. *Promenade, voorbij het Torre Praiahotel • Kaart L2 • 291-983114 • €€*

Mar e Sol, Vila Baleira
Gegrilde vis en *fragateira* (garnalen, octopus, witvis en schaaldieren met aardappels, uien en tomaten) zijn populair op dit strandterras bij het Hotel Porto Santo. *Campo de Baixo • Kaart L2 • 291-982269 • €€*

O Calhetas, Calheta
In deze bar, op een benijdenswaardige locatie op de westpunt van het eiland, kunt u bij een ondergaande zon cocktails nippen en knoflookrijke *feijoada de mariscos* (zeevruchten met bonen en tomaten) verorberen. *Kaart K2 • 291-984380 • €€*

Estrela do Norte, Camacha
De 'Ster van het Noorden' is een *churrascaria* (grillrestaurant) in een boerderij in een noordelijk gelegen dorp. U kunt kiezen uit lokale steaks, tonijn en octopus en duurdere geïmporteerde zeevruchten. *Kaart L1 • 291-983500 • €€*

Baiana, Vila Baleira
Geliefd bij de lokale bevolking. Tussen de vele dagverse vissen zitten beslist soorten die u nooit eerder hebt geproefd. *Rua Dr Nuno S Teixeira 9 • Kaart L2 • 291-984649 • €€*

Pizza N'Areia, Vila Baleira
Op het eiland wordt veel vlees geserveerd; de pizza's en salades van Pizza N'Areia zullen dan ook zeker vegetariërs bekoren. *Rua Goulart Medeiros (onderdeel van het Torre Praiahotel) • Kaart L2 • 291-980450 • €*

Porto Santo, Vila Baleira
In dit onopvallende hotel, haast onzichtbaar verborgen in de duinen, komen sinds lange tijd bezoekers die alles willen ontvluchten; op sommige momenten maken de mussen in de weelderig groene palmentuin nog het meeste kabaal. Met minigolf, fitness, zwembad en strandbar. *Campo de Baixo • Kaart L2 • 291-980140 • www.hotelportosanto.com • €€€*

Torre Praia, Vila Baleira
Met een cocktailbar in de toren en een atrium rond een historische kalkoven bezit het Torre Praiahotel volop karakter. *Rua Goulart Medeiros • Kaart L2 • 291-980450 • www.torrepraia.pt • €€€*

Luamar ApartHotel, Cabećo da Ponta
Op 4 km ten westen van Vila Baleira is het Luamar de beste selfcateringkeuze op het eiland. *Kaart L2 • 291-984121 • www.luamar.net • €€*

Pensão Central, Vila Baleira
Het enige nadeel van dit levendige en vriendelijke hotel is de korte klim vanuit het stadscentrum. *Rua Coronel A M Vasconcelos • Kaart L2 • 291-982226 • €*

Voor de prijsklassen van de restaurants en hotels **zie respectievelijk blz. 71 en 113**

WEGWIJS OP MADEIRA

Links **Toeristenbureau op Madeira** Rechts **Topdrukte met kerst op Madeira**

Praktische informatie

Beste reistijd

Rond Kerstmis is het 't drukst; hotels verdubbelen hun normale tarieven. Druk zijn ook Pasen, en juli en augustus. Juni is verrassend rustig – terwijl het weer perfect is. Madeira heeft een mild subtropisch klimaat, met gemiddelde temperaturen tussen 17 °C in februari en 23 °C in september. In maart valt de meeste regen, vooral aan de noordkant van het eiland. Het weer op Porto Santo is doorgaans gedurende het gehele jaar prima.

Kleding

Zelfs in de winter is het warm genoeg om overdag buiten te eten; pak dus lichte kleding, met extra lagen voor 's avonds en in de koelere bergen. Vrijetijdskleding is de norm. Wilt u wandelingen maken, neem dan een zaklamp, regenkleding en stevig schoeisel mee.

Toeristeninformatie

Het Portugese verkeersbureau biedt slechts summiere informatie over Madeira. De website van het Madeirese toeristenbureau is nuttig, maar wordt zelden geüpdatet. De hoofdvestiging in Funchal verkoopt gidsen, kaarten, dienstregelingen voor bussen en kaartjes voor culturele evenementen. ✆ *Madeira toeristenbureau: Avda Arriaga 16, Funchal. Kaart P3. 291-211902. Geopend ma–vr 9.00–20.00, za, zo 9.00–18.00 uur. www.madeiratourism.org*

Paspoort en visum

Bezoekers mogen 90 dagen op Madeira verblijven met een geldig paspoort of EU-identiteitskaart plus een geldig vliegticket. Op het eiland zelf zijn geen ambassades, ze bevinden zich allemaal in Lissabon. In Funchal zijn wel enkele consulaten *(kader).*

Douane

Madeira maakt deel uit van de EU en er gelden zodoende nauwelijks beperkingen op de invoer van alcohol en sigaretten uit andere EU-landen, zolang ze voor privégebruik zijn.

Feestdagen

Op 25 december, 1 januari en met Pasen is alles dicht. Andere feestdagen zijn: Vastenavond, Aswoensdag, 25 april, 1 mei, Sacramentsdag (juni), 10 juni, 1 juli, 15 augustus, 21 augustus, 5 oktober, 1 november en 1 december. Winkels en kantoren zijn gesloten op feestdagen; grote supermarkten blijven open, evenals toeristisch gerichte ondernemingen.

Elektriciteit en water

De netspanning bedraagt 220 volt. U kunt onze normale stekkers gebruiken. Voor apparaten op 110 volt hebt u een adapter (transformator) nodig. Het kraanwater kunt u veilig drinken. Mineraalwater is goedkoop en overal verkrijgbaar.

Openingstijden

Winkels zijn op weekdagen van 9.00–19.00 en op zaterdag van 9.00–13.00 uur geopend. Grote supermarkten blijven elke dag open tot 22.00 uur. Banken zijn op werkdagen geopend van 8.30–15.00 uur. De meeste musea zijn van zaterdagmiddag tot dinsdag gesloten; slechts enkele zijn op zondagochtend open. Kerken openen veelal tussen 8.00–12.00 en 16.00–19.00 uur hun deuren.

Tijdsverschil

Op Madeira is het één uur vroeger dan bij ons.

Taal

De landstaal is Portugees. De meeste Madeirezen spreken Engels en velen eveneens wat Frans en Duits.

Consulaten in Funchal

België *291-210200*
Duitsland *291-220338*
Frankrijk *291-200750*
GB *291-212860*
Italië *291-223890*
Nederland *291-223830*
Noorwegen *291-741515*
Spanje *962-381599*
VS *291-235636*
Zweden *291-233603*

Vorige bladzijden **Kraampjes op de Mercado dos Lavradores in Funchal**

Links **Cruiseschip** Rechts **Vliegtuig op de luchthaven van Porto Santo**

Vervoer van en naar Madeira

Per vliegtuig

TAP Air Portugal onderhoudt lijndiensten vanaf de grote Europese luchthavens (vanuit Amsterdam en Brussel niet rechtstreeks, maar via Lissabon), terwijl nieuwe maatschappijen zich op de markt aandienen. De vlucht naar Lissabon duurt circa drie uur en van daaruit is het nog ongeveer een uur en drie kwartier naar Funchal. Onlinereisbureaus zijn de snelste manier om vluchten en prijzen uit te zoeken. Chartervluchten zijn goedkoper, maar zijn misschien alleen beschikbaar als onderdeel van een pakket of voor reizen van één week. ⓢ *TAP Air Portugal: www.flytap.com/Nederland; www.flytap.com/Belgium*

Santa Catarina Airport

De luchthaven van Funchal is klein en functioneel, met autoverhuur, bankdiensten en taxi's, maar verder is er weinig. Ongeveer elke 90 minuten vertrekt er een bus naar Funchal, maar de vertrektijden vallen niet altijd samen met de aankomsten van de vliegtuigen. ⓢ *Kaart K5 • 291-520700*

Cruises

Madeira wordt door veel cruises aangedaan, maar passagiers gaan zelden langer dan een paar uur aan wal. Dit is dus een weinig reële optie om het eiland eens goed te verkennen.

Taxi's

De alomtegenwoordige gele taxi's zijn relatief goedkoop. Chauffeurs zijn verplicht om een lijst met vaste tarieven (voor ritten zoals die van het vliegveld naar Funchal) op te hangen; andere ritten gaan op de meter. U kunt ook met taxi's halve of hele dagtochten maken; spreek van tevoren een tarief af (zo'n € 40 voor een halve dag of € 90 voor een hele dag).

Bussen

Bussen zijn een gemakkelijk, goedkoop vervoermiddel, maar de diensten concentreren zich rond de spitstijden van 8.00–10.00 en 16.00–19.00 uur. De dienstregeling is verkrijgbaar bij het toeristenbureau. Kaartjes koopt u bij de kiosken bij de bushaltes of direct bij de chauffeur.

Autoverhuur

Met een huurauto bent u eigen baas. Bedenk wel dat parkeren in Funchal uitermate moeizaam is – en overal tegen betaling. Ondergrondse parkeergarages zijn het handigst. Bij lokale firma's, zoals Wind Car Rental en Amigos do Auto, bent u veelal goedkoper uit dan bij de internationale filialen. ⓢ *Wind Car Rental: 291-766697 • Amigos do Auto: 291-776726*

Rijgedrag

De wegen op Madeira worden beter, maar kijk uit bij het invoegen op snelwegen. Op oudere wegen, die veelal steil en bochtig zijn, zult u meestal hooguit in z'n twee rijden. Rij voorzichtig, want het staat overal vol met geparkeerde auto's, bussen en voetgangers. Als een andere chauffeur met zijn lichten knippert, rijdt hij door – het is geen teken dat hij u erlangs laat!

Porto Santo per vliegtuig

Heel de dag door vertrekken vanaf Santa Catarina Airport om de één of twee uur vluchten naar Porto Santo. De vlucht duurt vijftien minuten; u kunt tot drie kwartier voor vertrek inchecken. Tickets boekt u bij een reisbureau of bij het kantoor van TAP Air Portugal. Retourtickets kosten ongeveer € 105. ⓢ *TAP Air Portugal: Avenida do Mar 8–10, Funchal • Kaart L2 • 291-239211*

Porto Santo per boot

De zeereis – per luxe cruiseschip met bioscopen, restaurants, winkels en spelkamers – duurt tweeënhalf uur. De boten vertrekken om 8.00 uur uit Funchal en keren om circa 22.00 uur terug. Tickets boekt u bij een reisbureau; u kunt ze ook in de haven zelf kopen. Retourtickets kosten zo'n € 75. ⓢ *Porto Santo Line: Rua da Praia 6, Funchal • Kaart Q3 • 291-210300*

Van nov.–feb. kunt u tegen sterk gereduceerde tarieven op vakantie gaan naar Madeira, maar het kan dan regenachtig zijn.

Links **Madeirese politieagent** Rechts **Apotheek**

Veiligheid en gezondheid

Verzekering
Ga voor uw vertrek na of uw ziektekostenverzekering ook buiten uw eigen land van kracht is. Meestal is dat overigens wel het geval. In andere gevallen is het raadzaam een extra verzekering af te sluiten. Voor tandartskosten gelden soms andere regels. Gewoonlijk moet u in eerste instantie zelf de medische kosten voldoen; bewaar dus alle nota's, zodat u ze thuis weer kunt declareren. Denk eraan een adequate verzekering af te sluiten tegen verlies en diefstal van bezittingen. Controleer tevens of uw polis bepaalde vakantieactiviteiten dekt die u wellicht wilt ondernemen, zoals paardrijden, scubaduiken of waterskiën. Bent u van plan een auto te huren op het eiland, dan is het raadzaam om ook een schadeverzekering voor uw huurauto af te sluiten.

Beten en steken
Muggen vormen geen groot probleem op het eiland en giftige slangen en insecten zijn er niet. Zwerf- en waakhonden kunnen wel gevaar opleveren; sommige wandelaars hebben een *dazer* (ultrasone hondenafweer) bij zich om zich tegen agressieve honden te beschermen. Laat hondenbeten altijd behandelen, hoewel hondsdolheid nog nooit is voorgekomen op Madeira.

Zonnebescherming
Het gehele jaar door verbrand je binnen de kortste keren op Madeira, vooral doordat de gevolgen van te veel zon pas enige tijd na de blootstelling blijken. Bedek uw hoofd, nek, armen en benen als u aan de zon blootstaat, smeer u goed in en zorg ervoor voldoende water bij u te hebben om uitdroging te voorkomen.

Medische centra
Medische hulp verkrijgt u snel en goed in het dichtstbijzijnde medisch centrum – Centro de Saúde in het Portugees. In elk dorp en elke gemeente vindt u een dergelijk centrum.

Apotheken
Het personeel van apotheken – *farmácias* – is opgeleid om minder ernstige klachten te diagnosticeren en daarvoor geneesmiddelen uit te schrijven. In elk dorp is een apotheek tot laat geopend; gesloten apotheken vermelden waar u de dichtstbijzijnde geopende apotheek vindt.

Kuuroorden
U hoeft niets te mankeren om toch baat te hebben van de vele kuurmogelijkheden op Madeira. Op Porto Santo hebben alle grotere hotels kuuroorden, die hydrotherapie, aromatherapie, huidverzorging, ontgiftingskuren en massage aanbieden. Informeer bij uw hotel naar de aanbevolen centra.

Misdaad
Madeira is nog altijd verrassend veilig en vrij van misdaad – inclusief zakkenrollen, vandalisme en asociaal gedrag in het algemeen. Niettemin blijft het onverstandig om het lot te tarten door al te roekeloos te zijn; bewaar dus al uw waardevolle spullen in een hotelsafe of houd ze altijd dicht bij u.

Politie
Als u bij verlies van waardevolle spullen een claim bij de verzekering wilt indienen, moet u een officieel politierapport kunnen overleggen. Het adres van het hoofdbureau in Funchal is Rua da Infância 28; het nummer van de telefooncentrale is 291-208200. In elke plaats is een politiepost.

Pech onderweg
Madeira kent geen wegenwacht. Uw autoverhuurfirma zal u echter het alarmnummer van de eigen servicedienst geven.

Alarmnummer

Brandweer, politie en ambulance
112

Links **Banco de Portugal** Rechts **Telefooncel**

Geldzaken en communicatie

Munteenheid
Op Madeira wordt de euro gebruikt. In verband met vervalsingen worden grote coupures achterdochtig bekeken; vraag daarom bij het wisselen van geld om biljetten van € 50, € 20 en € 10.

Geld wisselen
In elke plaats vindt u een bank en vrijwel alle banken wisselen vreemde valuta. Wel rekenen ze een vaste provisie, ongeacht de hoogte van het gewisselde bedrag; het best kunt u dus grotere bedragen in één keer wisselen. De provisie wordt voor zowel reischeques als contant geld in rekening gebracht. Neem uw paspoort mee wanneer u geld gaat wisselen. Banken zijn ma–vr van 8.30–15.00 uur geopend; sommige zijn ook op zaterdag tot 13.00 uur open.

Geldautomaten
Bijna alle banken hebben een geldautomaat. Hier kunt u met een geschikte pas (Visa, MasterCard, pinpas) euro's pinnen. Houd er rekening mee dat voor zulke transacties mogelijk administratiekosten worden gerekend en ook rente door uw eigen kaartmaatschappij.

Creditcards
In theorie accepteren de meeste winkels en de 'duurdere' restaurants creditcards, maar de meeste bedrijven prefereren contant geld. Daardoor kan het gebeuren dat u te horen krijgt dat er iets mis is met uw creditcard of dat deze niet compatibel is met het systeem op Madeira. Bij de meeste kaarten moet u overigens uw pincode intoetsen.

Openbare telefoons
In het centrum van veel dorpen en steden vindt u kaarttelefoons. U koopt telefoonkaarten bij de meeste krantenkiosken en supermarkten; ze zijn de goedkoopste manier om naar huis te bellen. Toets voor buitenlandse gesprekken eerst de internationale toegangscode (00) en het landnummer (Nederland 31, België 32), gevolgd door het netnummer zonder 0 en tot slot het abonneenummer.

Mobiele telefoons
De mobiele dekking op Madeira is goed, maar de invoerwijze verschilt van netwerk tot netwerk. Informeer daarom voor uw vertrek bij uw provider wat u moet intoetsen om zelf vanaf Madeira te bellen of hoe anderen u kunnen bellen.

Postkantoren
Elke plaats heeft een postkantoor (*correios*). Het meest centrale postkantoor in Funchal vindt u aan de Avenida Zarco (ma–vr 8.30–20.00, za 9.00–13.00 uur). Naar het hoofdpostkantoor aan de Avenida Calouste Gulbenkian kunt u poste restante laten sturen (dezelfde openingstijden). Op het poststuk dient 'poste restante' te staan en u kunt uw post alleen met uw paspoort ophalen. Postzegels kunt u kopen op de meeste plaatsen die briefkaarten verkopen.

Internet
Madeira is goed aangesloten op internet. Veel hotels bieden gratis webmail- en internettoegang aan hun gasten. In Funchal bieden de nodige internetcafés snelle verbindingen, printers, scanners en faxen; het personeel spreekt buitenlandse talen. Voorbeelden zijn Cyber Café, Global Net Café en Lidonet Internet. *Cyber Café: Avenida do Infante 6 • Kaart Q1 • Global Net Café: Rua do Hospital Velho 25 • Kaart P4 • Lidonet Internet: Monumental Lido Shopping Centre, winkel 14 • Kaart G6*

Televisie
De meeste hotels hebben een abonnement op het standaardpakket van 30 satellietzenders, waaronder programma's in de meeste Europese talen plus MTV, CNN en BBC World. Buiten Funchal is de ontvangst veelal wisselend.

Kranten
De meeste kiosken in Funchal verkopen de internationale edities van de belangrijkste Europese kranten, meestal een dag na verschijnen.

Het netnummer voor Madeira en Porto Santo is 291. Dit nummer moet u zelfs op Madeira of Porto Santo zelf intoetsen.

Links **Jacht voor dolfijnspotten, Funchal** Rechts **Botanische Tuinen, Funchal**

Bijzondere reizen

Fly-drive

U beleeft Madeira het best door vanuit een hotel op het platteland wandelingen en tochten te ondernemen. Operators in dit segment zijn onder andere D-reizen en KRAS. *www.d-reizen.nl • www.kras.nl*

Wandelen

Bij een georganiseerde wandeltocht wordt al veel voor u geregeld. Zo kunt u zorgeloos genieten van het landschap.
www.flextravel.nl • www.stapreizen.nl • www.wandelwaaier.nl • www.headwater.com

Parken en tuinen

Het grote voordeel van een specialistische vakantie is dat u naast openbare tuinen enkele van Madeira's privétuinen – rijke schatkamers van zeldzame planten – bezoekt, in het gezelschap van een deskundige. *www.src-cultuurvakanties.nl • www.cachet-travel.co.uk • www.coxandkings.co.uk*

Golfpakketten

Estalagem Serra Golf *(blz. 115)* en Casa Velha do Palheiro *(blz. 113)* bieden allebei golfpakketten aan, met gereduceerde greentarieven, gegarandeerde teetijd, clinics en persoonlijke lessen op alle niveaus. Speelt uw reisgenoot geen golf, dan is de ligging van beide hotels ook gunstig voor bezoekjes aan tuinen en *levadas*.

Flora en fauna

Diverse chartermaatschappijen aan de haven van Funchal organiseren zeilexcursies langs de kliffen en eilanden van Madeira, waarop u de vogels en het zeeleven van dichtbij kunt bekijken. Ook dolfijn- en walvisspotten wordt aangeboden. *Bonita da Madeira: 291-762218 • Ventura do Mar: 291-280033 • Albatroz: 291-223366 • Gavião Madeira: 291-241124*

Vissen

In Madeira's wateren wemelt het van de vissen voor sportvissers, waaronder de zwarte en witte marlijn, grootoog- en blauwvintonijn, albacore (witte tonijn) en boniter. TuriMar, aan de haven van Funchal, biedt tochten van een hele of halve dag aan, inclusief alle uitrusting. De firma onderschrijft het 'tag & release-systeem': nadat de gevangen vis is gefotografeerd, wordt hij teruggezet. *TuriMar: 291-226720*

Duiken

Net onder het oppervlak langs Madeira's zuidelijke kliffen strekt zich een beschermde wereld van onderwatergrotten, kleurrijke vissen en krabben, zee-egels, koralen en wieren uit. U kunt deze wereld pas verkennen als u kunt duiken. Twee hotels hebben een permanente duikschool: Manta Diving in het Galomar *(blz. 115)* in Caniço en Dive College International in het Dom Pedro in Machico.
Manta Diving: www.mantadiving.com • Dive College Intl.: 291-969500

Avontuurlijke vakantie

Steeds meer mensen ontdekken Madeira als een ideaal eiland voor diverse avontuurlijke sporten, zoals mountainbiken, rotsklimmen, (wind)surfen en paragliding. *Terras de Aventura: www.terrasdeaventura.com*

Kuurvakanties

Diverse hotels hebben een groot kuurcomplex met gezondheids- en beautyfaciliteiten en mogelijkheden om stress te verlichten. Hiertoe behoren het Choupana Hills Resort and Spa *(blz. 113)*, de Thalassotherapy Spa in het Crowne Plaza *(blz. 112)*, het Vital Centre in het Jardim Atlântico *(blz. 116)*, het Active Centre in het Madeira Palacio *(blz. 113)*, de Phytomer Health Spa in het Savoy *(blz. 112)* en de Spa in het Porto Mare *(blz. 112)*.

Huwelijksreizen en romantische trips

Veel van Madeira's elegante hotels in oude landhuizen reserveren hun mooiste kamers voor echtparen op huwelijksreis of stelletjes die iets speciaals willen vieren. Met het fraaie landschap en de zonsondergangen, evenals de talrijke zwembaden en kuuroorden, beleven ze hier een gedenkwaardige vakantie. *www.classic-collection.co.uk • www.cadoganholidays.com*

Links **Wandelen door de Levada do Risco** Rechts **Bus op Madeira**

Wandeltips

Wandelparadijs

Veel wandelaars beschouwen Madeira als een van de Europese topbestemmingen en bezoeken regelmatig het eiland. Ontdek zelf waarom wandelen op Madeira zo verslavend kan zijn door simpelweg een korte wandeltocht op eigen houtje te ondernemen of met een tour inclusief gids mee te gaan *(blz. 51)*.

Kaarten en gidsen

Madeira verandert zo snel dat geen enkele kaart of gids volledig up-to-date is. De ANWB verkoopt wandelgidsen voor het eiland, evenals de Engelstalige organisatie Sunflower Books. Op hun website vindt u ook recente veranderingen. *www.anwb.nl • www.sunflowerbooks.co.uk*

Bergen en bossen

Sommigen maken liever berg-, anderen liever boswandelingen. Op Madeira komen beide categorieën aan hun trekken – met steile keienpaden die de pieken van het centrale, karig begroeide gebergte van het eiland verbinden en *levada*-paden, die de contourlijnen volgen door zachter glooiende, meer 'getemde' landschappen.

Bereid u goed voor

Kijk in een betrouwbare gids na wat voor gevaren u onderweg mag verwachten en bereid u daarop goed voor. Op bergwandelingen is weinig schaduw en kunt u door stortbuien worden overvallen, of door koude wolken die alles aan het zicht onttrekken. *Levada*-wandelingen kunnen modderig zijn en mogelijk moet u door lange tunnels, watervallen of rivieren waden.

Uitvalsbasis kiezen

Bezoekt u Madeira uitsluitend om te wandelen, dan is Funchal mogelijk niet de beste uitvalsbasis.
Kies liever een hotel van waaruit u gemakkelijk diverse routes bereikt. Goede opties zijn de Pousada dos Vinháticos *(blz. 116)*, het Residencial Encumeada *(blz. 116)* en het Solar de Boaventura *(blz. 115)*.

Auto's en taxi's

Op Madeira zijn maar weinig routes die weer bij hun beginpunt uitkomen. U kunt met een taxichauffeur afspreken dat hij u afzet en ergens anders oppikt; of u kunt aan het eind van uw tocht een taxi bellen. Een andere mogelijkheid: rijd met de huurauto naar uw startpunt en neem aan het eind een taxi terug naar uw auto.

Bussen

In een goede wandelgids vindt u details over busverbindingen en een dienstregeling. Zo kunt u van tevoren berekenen hoe lang uw route gaat duren. De bussen op het platteland zijn betrouwbaar, maar op lange routes over het eiland rijdt slechts één bus per dag. Misschien moet u dus de bus naar uw startpunt nemen en een taxi terug, of andersom.

Mobiele telefoons

Mobieltjes kunnen soms irritant zijn, maar ze kunnen in noodgevallen uw leven redden. U kunt er ook uw taxichauffeur mee informeren hoe lang u nog onderweg bent. Hebt u geen mobieltje, vertel dan minstens uw hotel waar u heen gaat en wanneer u denkt terug te zijn; zo kan iemand alarm slaan wanneer u niet tijdig terugkeert.

Veldgids

Niets is ergerlijker dan wanneer u niet alle bloemen, varens, vetplanten en mossen kunt benoemen die u onderweg ziet. Een veldgids biedt hier uitkomst. Een goede is *Madeira's Natural History in a Nutshell* door Peter Sziemer, verkrijgbaar in de meeste boekwinkels in Funchal *(blz. 57)*. Deze gids vertelt u alles wat u dient te weten over de geologie, flora en fauna van het eiland.

Picknicken

Vergeet niet een picknickmand mee te nemen voor op een zonnige open plek in het bos of panoramisch punt op uw route. Met de overgebleven broodkruimels kunt u de vogels voeren die nieuwsgierig komen kijken wat u uitspookt, of de (uit kwekerijen ontsnapte) forellen die u misschien in sommige rivieren en *levadas* opmerkt.

Links **Zwembadcomplex van het Royal Savoy** Rechts **Uitzicht vanaf Quinta Bela de São Tiago**

Accommodatietips

Prijs en locatie
Op Madeira beïnvloedt de locatie sterk de prijs. Hotels in het stadscentrum zijn veelal goedkoop. De luxe vijfsterrenhotels met uitzicht op zee, langs de Estrada Monumental in het westen van Funchal, zijn het duurst. Verder naar het westen dalen in de hotelwijk de prijzen naarmate u verder weg van de stad en de zee gaat zitten.

Kamer met uitzicht
Sommige hotels zijn zo ontworpen dat álle kamers op zee uitkijken. Waar dat niet het geval is, betaalt u meer voor een kamer met uitzicht op zee, vooral als deze ook nog eens een zonnig balkon op het zuiden heeft.

Geluidsoverlast
Kunt u niet tegen lawaai, meld dit dan bij de hotelreceptie. Sommige kamers met 'uitzicht op de bergen' kijken in feite uit op een van de drukste wegen op het eiland, de Estrada Monumental. Geluidsoverlast kan ook ontstaan als uw kamer boven het hotelrestaurant ligt, vooral als het livemuziek of een disco heeft.

Classificatie
Madeira's classificatiesysteem geeft een redelijk betrouwbare indicatie van de faciliteiten die u mag verwachten. Alle vier- en vijfsterrenhotels (en de meeste met drie sterren) bieden verwarming, airco, televisie, een rechtstreekse buitenlijn op de telefoon, een garage of parkeerfaciliteiten, een restaurant en een bar. De sterren zeggen echter niets over de service, ambiance, kwaliteit of het specifieke karakter.

Quintas en *estalagens*
Quintas (landhuizen) of *estalagens* (herbergen) zijn gewoonlijk hotels met een zekere ouderdom en een historisch karakter; vaak liggen ze op een landgoed met volwassen bomen en mooie tuinen. In de meeste gevallen huisvest het oude pand zelf de bar, eetzaal en lounge, terwijl de gastenkamers in moderne blokken op de begane grond ondergebracht kunnen zijn.

Agrotoerisme en plattelandshotels
Boeren en landeigenaren op Madeira worden aangemoedigd om leegstaande boerengebouwen te verbouwen tot bungalows. Zoekt u er een, kijk dan uit naar groene bordjes met *Turismo Rural*. U kunt ook informeren bij het toeristenbureau of u kunt kijken op de website van Madeira's agrotoerisme; hier kunt u bij zo'n twintig adressen reserveren. *www.madeirarural.com*

Kinderen
De meeste kamers zijn als tweepersoonskamers bedoeld, maar u kunt zonder problemen om extra bedden voor kinderen vragen. Sommige hotels hebben familiekamers voor vier tot zes personen.

Drukste perioden
Madeira is populair bij Portugezen die de zomerhitte van het vasteland ontvluchten. In juli en augustus is het daarom druk in de hotels; voor deze periode kunt u het best ver vooruit al reserveren. Andere populaire perioden zijn Kerstmis en Nieuwjaar, carnaval, het Bloemenfestival en de weken vóór, tijdens en na Pasen. In al deze perioden kunnen de kamerprijzen verdubbeld zijn.

Wintervakantie
U bent heel goedkoop uit tussen november en maart; in deze periode biedt zelfs Reid's Palace kortingen aan. Kijk uit naar advertenties in kranten of informeer bij reisbureaus.
www.sudtours.nl • *www.kras.nl* • *www.wintergidsen.nl* • *www.horizonreizen.nl*

Ontbijt en halfpension
De hotelprijzen op Madeira zijn doorgaans inclusief een buffetontbijt (ontbijtgranen, vers fruit, sappen, gebak, gekookt vlees, kaas, thee en koffie). In luxehotels is een warm ontbijt een optie. Halfpension, met het diner in het hotelrestaurant, kan u geld besparen, maar soms kunt u per gang slechts uit twee gerechten kiezen.

Links **Prijzige taxi's** Rechts **Chartervlucht op de luchthaven van Funchal**

Budgetreizen

Boek vroegtijdig en online
Madeira kan spotgoedkoop zijn. De grootste kosten zijn nog die voor de reis, omdat de prijsvechters er niet op vliegen en lijnvluchten vanwege de grote vraag zelden reducties aanbieden. Om zo goedkoop mogelijk uit te zijn kunt u de vakantie het best minstens drie maanden van tevoren boeken bij een onlinereisbureau.

Wees flexibel
De beste deals sleept u binnen als u flexibel bent in uw reisdatums en het niet erg vindt om 's ochtends vroeg of 's avonds laat te vliegen. Onlinereisbureaus tonen de prijzen van verschillende vluchten en zo kunt u er de goedkoopste uitpikken. De keerzijde is dat u eenmaal geboekte tickets tegen reductieprijzen niet meer kunt veranderen zonder een fikse boete te betalen.

Chartervluchten
Chartermaatschappijen zijn vaak het goedkoopst, maar veel ervan vliegen alleen op Madeira tussen april en oktober. Bovendien vliegen ze soms slechts één keer per week, waarmee een korte vakantie tussendoor uitgesloten is.

Pakketreizen
De hotels op Madeira gaan vaak niet in op verzoeken om een gereduceerde kamerprijs, ook al is het er rustig. De beste manier om goedkoop uit te zijn is door online uw trip te boeken of bij een reisbureau een all-inpakket (inclusief vluchten, kamer, maaltijden, transfers, huurauto en excursies) te nemen.

Lastminute-aanbiedingen
Kunt u over een week of twee afreizen, dan zijn lastminuteboekingen een goede optie. Houd daarvoor de reisbureaus en advertenties in de gaten. Soms weet u pas waar u verblijft wanneer u er gearriveerd bent, maar slechte hotels zijn zeldzaam op Madeira (en geluidsoverlast is waarschijnlijker dan een veiligheids- of hygiëneprobleem).

Accommodatie
In het stadscentrum en in pensions op het platteland *(blz. 117)* kunt u verbijsterend goedkoop uit zijn. Al voor € 15 tot € 25 hebt u een schone kamer met gedeelde badkamer en voor € 40 per nacht zelfs een luxueus appartement als u een week of langer blijft. Op www.madeira-island.com vindt u een nuttig gedeelte met accommodaties, met koppelingen naar de website van diverse goedkopere hotels.

Eten
Madeira telt letterlijk honderden goedkope eethuizen en restaurants. Hier eet u uitstekend voor € 10 door eenvoudige gerechten, zoals gegrilde sardines en salade, te kiezen. Nog goedkoper is natuurlijk zelf boodschappen doen. Lekker brood, olijven, vers fruit en salade-ingrediënten zijn allemaal goedkoop; hetzelfde geldt voor kant-en-klaarmaaltijden als gegrilde kip of bonenstamppot met rundvlees.

Vervoer
Neem zo min mogelijk de taxi: dit scheelt u geld. Misschien moet u op het vliegveld een uur wachten op een bus naar Funchal, maar het kost maar een paar euro – terwijl de taxiprijs op minimaal € 20 uitkomt. Evenzo bent u met de bus voor andere ritten over het eiland slechts een paar euro kwijt, tegenover tien keer zoveel met een taxi.

Excursies
Excursies zijn een ander kostenbesparend alternatief voor taxi's of autohuur. De keerzijde is dat u noodzakelijkerwijs met een grote groep mensen reist. Ook doet de tour misschien winkels en restaurants aan waarin u geen zin hebt.

Bars en vermaak
U kunt geld besparen door niet naar disco's en andere uitgaansgelegenheden te gaan waar de prijs voor een drankje vele malen hoger ligt dan in gewone bars. Evenzo kost een koffie of glas madera in een lokale bar een derde van de prijs voor hetzelfde drankje in uw hotelbar.

Links **Bloemenstalletje** Rechts **Vintage madera**

Winkeltips

Taxfree
De prijzen in de taxfreeshop op het vliegveld liggen meestal hoger dan in wijnwinkels en supermarkten in de stad. Niet-EU-ingezetenen hebben echter recht op btw-teruggave.

Borduurwerk
Let erop dat u niet te veel betaalt voor goedkoop, machinaal vervaardigd borduurwerk dat uit Azië is geïmporteerd, terwijl u uit bent op het authentieke lokale artikel. Al het Madeirese borduurwerk wordt op kwaliteit gecontroleerd voordat het in de verkoop komt. Het is voorzien van een hologram, in sommige gevallen ook van een loodzegel.

Wijn
Wilt u maderawijn *(blz. 59)* van goede kwaliteit proeven en kopen, let er dan op dat er Sercial, Verdelho, Bual of Malvasia op het etiket staat. Dan bent u er zeker van dat de wijn van hoge kwaliteit is en volgens traditionele methoden van de klassieke druifsoorten is gemaakt. Wijn met de aanduiding dry, medium dry, medium sweet of rich komt uit massaproductie en mist de subtiliteit en complexiteit van de beste madera.

Aguardente
Een ander souvenir met een lange geschiedenis is de van suikerriet gestookte *aguardente*, vaak als 'rum' omschreven. Witte *aguardente* mist subtiliteit en wordt veelal gereserveerd als *poncha*, vermengd met citroen en honing. Oude, donkere *aguadente* is iets totaal anders – een likeur met karakter en smaak.

Goedkope lederwaren
De prijzen op Madeira liggen door de bank genomen hoger dan elders in Europa, omdat goederen moeten worden geïmporteerd. De uitzondering op deze regel vormen schoenen en lederwaren, die Portugese specialiteiten zijn. In de smalle straten rond de kathedraal in Funchal *(blz. 8–9)* vindt u volop lederwarenwinkels.

Bloemen
Wilt u er zeker van zijn dat uw bloemen zo vers mogelijk zijn en de reis naar huis overleven? Vraag dan de bloemist om ze op de ochtend van uw vertrek te laten bezorgen bij uw hotel, verpakt in stevig karton. Strelitzia's (paradijsvogelbloemen) zijn erg populair, omdat ze lang meegaan: u zult er meer dan een maand plezier van hebben.

Bolo de mel
Een ander populair en traditioneel souvenir is Madeirese kerstcake, die nu heel het jaar wordt gebakken en verkocht: *bolo de mel* (honingcake). Het recept bevat onder meer suikerrietsiroop en specerijen en de cake smaakt zalig bij de thee.

Winkelcentra
Hoewel de kleine winkeliers op het eiland er zwaar onder lijden en voor velen van hen faillissement dreigt, staat het buiten kijf dat qua keus en diversiteit de beste winkelgebieden van Funchal de grote winkelcentra zijn. Twee van de grootste zijn Marina Shopping en Madeira-Shopping *(blz. 69)*. Daarnaast zijn er grote nieuwe centra gepland in de hotelwijk (Madeira Forum) en in het centrum van Funchal.

Supermarkten
Ook in grote supermarkten kunt u prima souvenirs scoren. Snuffelt u eens in het Anadia Centre, tegenover de Mercado dos Lavradores (boerenmarkt), of de supermarkt op het Lido, in het hart van de hotelwijk. Supermarktketen Pingo Doce is ook een bezoekje waard.

Walvisivoor (*scrimshaw*)
Een waarschuwing vooraf: in Caniçal en op de parkeerplaats bij de Ponta de São Lourenço wordt snijwerk van walvisivoor aangeboden. De handel stamt uit de tijd dat deze regio van Madeira een walvisvloot bezat. Weersta de mogelijke verleiding om het te kopen: de uitvoer van deze producten is illegaal.

Links **Informatiekantoor** Rechts **Klanten verleiden tot een restaurantbezoek**

Wat u beter kunt vermijden

Te dure taxiritten

Taxichauffeurs profiteren heel vaak van naïeve bezoekers door (veel) te veel te rekenen, vooral op de rit van en naar het vliegveld. De overheid stelt het tarief voor deze rit jaarlijks vast. Taxichauffeurs zijn wettelijk verplicht een lijst met vaste tarieven zichtbaar in de taxi op te hangen en moeten op andere ritten hun meter inschakelen, tenzij u van tevoren een prijs hebt afgesproken.

Timesharing

Het probleem is niet zo erg als in sommige andere vakantieoorden, maar timesharingverkopers zijn wel degelijk actief in Funchal. Ze benaderen bezoekers op de Avenida do Infante als deze van de hotelwijk naar het centrum van Funchal lopen. Als iemand u begroet met een opgewekt 'Hello, do you speak English?', is de kans groot dat het een verkoper betreft. Er wordt niet hardnekkig aangedrongen; een beleefd 'No, thank you' is voldoende.

Klantenlokkers

Dan zijn de klantenlokkers van restaurants een stuk moeilijker af te schudden. Ze zijn vooral actief in de Zona Velha, het havencomplex en de restaurantstrook langs de Caminho da Casa Branca. Wilt u de menukaarten bestuderen voordat u besluit waar u gaat eten, dan kunt u dat het best 's ochtends of 's middags doen; zo ontloopt u de lokkers.

Kreeft

Bedenk dat die verleidelijke 'verse kreeft' waarmee visrestaurants graag reclame maken u uiteindelijk een klein fortuin kan kosten. Kreeft wordt geïmporteerd en geprijsd per gewicht. Informeer van tevoren wat u precies kwijt zult zijn – indien u er dan nog voor wilt kiezen.

Informatiecentra

Diverse firma's langs de route van de hotelwijk naar Funchals centrum doen zich voor als 'toeristeninformatiecentrum' en bieden gratis kaarten aan. In werkelijkheid zijn ze touroperators die de trekpleisters aanprijzen in de hoop u te strikken voor een begeleid uitstapje met een gids.

Begeleide uitstapjes

Legio touroperators bieden identieke tripjes in bussen met airconditioning aan. Dit is een prima manier om snel een idee van het eiland te krijgen, maar de tours stoppen onderweg onvermijdelijk bij restaurants en winkels – en daar moet u maar net trek in hebben. Voor een persoonlijkere verkenning van het eiland kunt u beter met een minibustour meegaan. Of vraag uw hotel u een taxichauffeur aan te bevelen die Engels spreekt.

Agressieve taxichauffeurs

Als u erover nadenkt een taxi te huren voor een dag of halve dag, maak dan de chauffeur bij voorbaat duidelijk dat u niet onder de indruk raakt van roekeloos rijgedrag. Dit is levensgevaarlijk op Madeira's smalle, bochtige wegen. U bent bovendien snel wagenziek.

Verborgen autokosten

Wilt u een auto huren, laat u dan bij het vergelijken van de prijzen niet misleiden door de geadverteerde dagtarieven. Controleer of er geen extra kosten bij komen, zoals belasting en verzekering; de dagprijs zou daardoor met 20% of meer kunnen oplopen.

Verouderde kaarten

Raadzaam is om er met een wegen- of wandelkaart opuit te trekken. De meeste kaarten en gidsen in de souvenirwinkels zijn echter al jaren oud. Madeira heeft zich de laatste jaren sterk ontwikkeld en verouderde kaarten kunnen er daardoor hopeloos naast zitten. Neus in een betrouwbare boekwinkel *(blz. 57)* en controleer het publicatiejaar.

Bedelaars

Hoewel toeristen voor de pittoreske werf en de schilderachtige zeeligging naar Câmara de Lobos *(blz. 75)* komen, biedt dit vissersdorp ook een glimp van het harde leven op Madeira. Het is niet ongewoon om hier kinderen te zien bedelen. Hoe u daarop inspeelt, bepaalt u zelf. Maar als u besluit geld te geven, kan dit andere kinderen aanmoedigen om u ook te benaderen.

Links **Interieur van Reid's Palace** Rechts **Noble Room, Savoy Hotel**

Karakteristieke hotels in Funchal

Reid's Palace
Dit hotel, een van de beste ter wereld, dompelt de gast onder in een landhuisambiance – met overal authentiek antiek en kunst, met tuinen die bezaaid zijn met zwembaden en schaduwrijke privéhoekjes, vergezichten en enkele van de beste restaurants op Madeira *(blz. 60)*. ✆ *Estrada Monumental 139 • Kaart H6 • 291-717171 • www.reidspalace.com • €€€€€*

Savoy Classic
Het Savoy is nu twee hotels in één. Het oorspronkelijke Savoy, Classic, waar Margaret Thatcher haar huwelijksreis doorbracht, is door een brug verbonden met zusterhotel Royal *(onder)*. Gasten in het Classic mogen ook gebruikmaken van de faciliteiten in het Royal. ✆ *Avenida do Infante • Kaart H6 • 291-213000 • www.savoyresort.com • €€€€€*

Savoy Royal
Het moderne Savoy is een waar museum van kunst en antiquiteiten uit alle delen van de wereld waar de Portugese zeevaarders in de 15de eeuw op ontdekkingsreis voor anker zijn gegaan. Maar zijn populariteit bij lezers van de Britse *Daily Telegraph* (die het tot het 'op een na beste resorthotel ter wereld' kozen) dankt het toch vooral aan zijn fraaie poolcomplex en de heerlijke fruitcocktails in de onderwaterbar. ✆ *Rua Carvalho Araújo • Kaart H6 • 291-213500 • www.savoyresort.com • €€€€€*

Crowne Plaza
Alles aan het Crowne Plaza straalt stijl uit, maar bovenal staat nog altijd de gast voorop. Met faciliteiten als een fitnesscentrum dat dag en nacht geopend is, squashbanen, een zwembad, kuuroord en crèche. ✆ *Estrada Monumental 175/177 • Kaart G6 • 291-717700 • €€€€*

Cliff Bay
Het Cliff Bay deelt zijn toplocatie op de kliftoppen pal ten westen van Funchal met Reid's, het Savoy en het Crowne Plaza. Een reeks geterrasseerde tuinen leidt naar zwembaden in de schaduw van palmen. In het restaurant Il Gallo d'Oro eet u Italiaans onder het genot van een spectaculair havenzicht. ✆ *Estrada Monumental 147 • Kaart G6 • 291-707700 • www.portobay.com • €€€€*

Porto Mare
Maakt deel uit van een nieuw resorthotel, met mooie tuinen, een kolossaal buitenbad, overdekte zwembaden, een kuurcomplex, crèche, fitnesscentrum en een restaurant dat een avontuurlijke mediterrane keuken serveert. ✆ *Rua do Gorgulho 2 • Kaart G6 • 291-703700 • www.portobay.com • €€€€*

Tivoli Ocean Park
Het als een reusachtige lijnboot ontworpen Tivoli kijkt uit op een prachtig stuk van de kust. Het Boca do Cais is een van de beste restaurants op het eiland *(blz. 61)*. Kinderen van 5–12 jaar hebben hun eigen zwembad en Dolphin Club met dagelijkse activiteiten. ✆ *Rua Simplício dos Passos Gouveia 29 • Kaart G6 • 291-702000 • www.tivolihotels.com • €€€€*

Quinta da Casa Branca
'Waar is het hotel?' vraagt u zich bij aankomst misschien af. De ultramoderne kamers op dit fantasierijk ontworpen complex zijn uiterst geraffineerd en vrijwel onzichtbaar in de tuin geïntegreerd. Gasten hebben een ongestoord uitzicht op groene gazons en heesterborders. ✆ *Rua da Casa Branca 5/7 • Kaart G6 • 291-700770 • www.quintacasabranca.pt • €€€€*

Quinta da Penha de França
Een charmant en centraal gelegen budgethotel. De jachtige wereld dringt hier alleen binnen als u de voetbrug naar het zwembad en het platform in zee oversteekt. ✆ *Rua Imperatriz Dona Amélia 87 • Kaart H6 • 291-204650 • www.hotel-quintapenhafranca.com • €€*

Pestana Grand
Dit ruime, nieuwe hotel heeft een groot buitenbad en gezondheidscentrum. Eet Portugees, Italiaans of Marokkaans en stort u daarna in het avondvertier. ✆ *Rua Ponta da Cruz 23 • Kaart G6 • 291-707400 • www.pestana.com • €€€€€*

Alle hotels accepteren creditcards en beschikken over kamers met eigen sanitair en airconditioning, tenzij anders is vermeld.

Choupana Hills Resort

Prijsklassen

Voor een standaard-tweepersoonskamer per nacht, inclusief extra kosten en (eventueel) ontbijt.

€	tot € 50
€€	€ 50–100
€€€	€ 100–150
€€€€	€ 150–200
€€€€€	vanaf € 200

Karakteristieke hotels buiten Funchal

Choupana Hills Resort and Spa, Funchal

Een schitterend complex met bungalows van hout, steen en azulejo's, hoog in het naar menthol geurende eucalyptusbos boven Funchal. Laat u in de watten leggen – compleet met massage, kuurfaciliteiten en het uitstekende restaurant Xôpana *(blz. 61)*. *Travessa do Largo da Choupana • Kaart H5 • 291-206020 • www.choupanahills.com • €€€€€*

Casa Velha do Palheiro, São Gonçalo

Het 200 jaar oude Casa Velha werd oorspronkelijk als jachtverblijf gebouwd door de graaf van Carvalhal. Het eten hier behoort tot het beste op het eiland *(blz. 61)*. De tuinen van de Quinta do Palheiro Ferreiro *(blz. 24–25)* liggen aan de andere kant van de heg. Palheiro Golf *(blz. 48)* vindt u aan het eind van de oprijlaan. *Rua da Estalagem 23 • Kaart H5 • 291-790350 • www.casavelha.com • €€€€*

Quinta do Monte, Monte

Een oase van rust, gelegen hoog boven Funchal in een weelderige, ommuurde tuin met slingerende keienpaden. Het landhuis in het hart van het landgoed is gedecoreerd met antiek meubilair en oosterse tapijten. De eetzaal *(blz. 60)* is in een moderne serre ondergebracht. *Caminho do Monte 182 • Kaart H5 • 291-780100 • www.charminghotelsmadeira.com • €€€*

Quinta do Jardim da Serra, Jardim da Serra

Dit onlangs gerenoveerde boetiekhotel, met zwembad en gezondheidscentrum, ligt midden in een beroemde tuin. Het landgoed werd gesticht door Henry Veitch (1782–1857), een rijke Schotse zakenman, die een fortuin verdiende door wijn aan de Portugese marine te leveren. *Fonte Frade • Kaart G6 • 291-911500 • www.quintajardimdaserra.com • €€€€*

Quinta Splendida, Caniço

Het Quinta Splendida beschrijft zijn ommuurde landgoed als een 'botanische tuin' omwille van de zeldzame en fraaie beplanting; eigen kruiden- en moestuinen en boomgaarden bevoorraden de hotelkeukens. *Estrada da Ponta Oliveira 11 • Kaart J5 • 291-930400 • www.quintasplendida.com • €€€*

Quinta da Bela Vista, Funchal

Het 'mooie zicht' ('bela vista') is dat op de woeste kliffen in het oosten, maar het zou net zo goed op de prachtige tuinen van dit traditionele landhuis kunnen slaan. *Caminho do Avista Navios 4 • Kaart G6 • 291-706400 • www.belavistamadeira.com • €€€€*

Jardins do Lago, Funchal

Dit charmante landhuis, in een 2,5 ha grote tuin, heeft een beroemde bewoner – reuzenschildpad Columbo. De kamers kijken op het zuiden uit, over de stad. Zwembad, tennisbaan, spasuite, biljartzaal en restaurant. *Rua Dr João Lemos Gomes 29 • Kaart H5 • 291-750100 • www.jardins-lago.com • €€€€*

Quintinha de São João, Funchal

In een elegante buitenwijk van Funchal combineert het Quintinha een historische kern met moderne vleugels. Inclusief een buitenbad, tennisbaan, sauna en een goed aangeschreven restaurant. *Rua da Levada de São João 4 • Kaart H5 • 291-740920 • www.quintinhasaojoao.com • €€€*

Madeira Palacio, Funchal

Veel keuze voor de gasten: een nieuwe gezondheidsclub, grote buiten- en binnenbaden, verlichte tennisbanen, livemuziek en een gevarieerd avondprogramma. *Estrada Monumental 265 • Kaart G6 • 291-702702 • www.hotelmadeirapalacio.com • €€€€*

Quinta das Vistas, Funchal

Hoog boven de stad gelegen koloniaal hotel in de stijl van de jaren 1930–1940, met zalen met palmen, tuinen en een veranda waar u in de openlucht eet. Zwembad, fitness en spa. *Caminho de Santo António 52 • Kaart G5 • 291-750007 • www.charminghotelsmadeira.com • €€€€*

Voor hotels op Porto Santo **zie blz. 99**

Links **Kamer in het Quinta Bela São Tiago** Rechts **Residencial Santa Clara**

Stadshotels in Funchal

Quinta Bela São Tiago

Met vogelgezang in de rustige tuin vraagt u zich af of u zich echt maar op vijf minuten lopen van hartje Funchal bevindt. De kamers (enkele heel ruim) kijken uit op de uivormige kerktorens en daken van de Zona Velha. Buitenbad en fitness. ✆ *Rua Bela de São Tiago 70 • Kaart P6 • 291-204500 • www.quinta belasaotiago.com • €€€€*

Porto Santa Maria

Op de plaats van de oude werf van de stad kijkt dit hotel uit op Funchals promenade. Hier logeert u op nog geen steenworp van de winkels en restaurants. Met twee zwembaden en gezondheidsclub. ✆ *Avenida do Mar 50 • Kaart Q5 • 291-206700 • www.portobay.com • €€€€*

Quinta Perestrello

Dit 150 jaar oude heritagehotel, gelegen in een volgroeide tuin, is een fraai voorbeeld van de elegante huizen die Madeirese kooplieden vroeger bouwden. De meeste kamers bevinden zich in het oude gebouw – die aan de achterkant zijn het rustigst. Zwembad. ✆ *Rua do Dr Pita 3 • Kaart G6 • 291-706700 • www.charming hotelsmadeira.com • €€€*

Pestana Casino Park

Voor het nachtleven en vermaak zit u goed in dit kolossale hotel uit de jaren 1960, met een vol programma van *diners dansants* en professionele shows. Tot het complex behoren de Copacabana Nightclub en het Madeira Casino. Fitness, sauna, zwembad en tennisbanen. ✆ *Rua Imperatriz Dona Amélia 55 • Kaart Q1 • 291-209100 • www.pestana.com • €€€€*

Quinta do Sol

Ligt aan een drukke weg, maar de kamers kijken uit op de rustige groene tuinen van de Quinta Magnólia aan de achterkant of het eigen poolterras van het hotel. Veel gasten keren terug – een compliment voor het personeel. Livemuziek en regelmatig folkloristische optredens. ✆ *Rua do Dr Pita 6 • Kaart H6 • 291-707010 • www.enotel.com • €€€*

Windsor

In dit hotel logeert u uitstekend voor relatief weinig geld. Het is populair bij gasten die graag midden in de drukte van het echte Funchal neerstrijken. Geen fitnesscentrum en geen overvloed van restaurants (wel een klein dakzwembad). Vriendelijk personeel. De aanwezige garage is een pluspunt (parkeren in Funchal is hopeloos). ✆ *Rua das Hortas 4C • Kaart P4 • 291-233083 • www.hotel windsorgroup.com • €€*

Residencial Gordon

In een rustige achterafstraat, nagenoeg pal naast de mooie tuin van de Engelse Kerk, biedt dit goedkope, eenvoudig ingerichte hotel een heerlijk toevluchtsoord voor gasten die wars zijn van franjes. Men spreekt er geen Engels; reserveer dus met de hulp van iemand die Portugees spreekt. ✆ *Rua do Quebra Costas 34 • Kaart N1 • 291-742366 • €*

Res. Santa Clara

Dit bekoorlijke pension, met haast evenveel katten als gasten en een betegelde tuin met een zwembadje tussen de klimplanten, zit volgepropt met snuisterijen. Enkele kamers aan de achterkant kijken uit op een drukke straat – vraag om een kamer aan de voorkant of in het midden. ✆ *Calçada do Pico 16B • Kaart N2 • 291-742194 • €*

Res. da Mariazinha

Funchals oudste straat wordt geleidelijk gerenoveerd, in de hoop nieuwe commerciële activiteiten aan te trekken. Dit fraaie nieuwe pension is een van de eerste resultaten. Met negen ruime kamers en een suite met eigen jacuzzi. ✆ *Rua de Santa Maria 155 • Kaart P5 • 291-220239 • www.residencialdamaria zinha.com • €€*

Pestana Carlton Madeira

Dit grote torenhotel achter het Savoy wint geen architectuurprijzen, maar het park en het badcomplex kunnen wedijveren met die van menig luxehotel in de omgeving. Tegenover Reid's biedt het hetzelfde uitzicht, maar dan goedkoper. ✆ *Largo António Nobre • Kaart H6 • 291-239500 • www.pestana.com • €€€€*

Alle hotels accepteren creditcards en beschikken over kamers met eigen sanitair en airconditioning, tenzij anders is vermeld.

Royal Orchid, Caniço de Baixo

Prijsklassen
Voor een standaard-tweepersoonskamer per nacht, inclusief extra kosten en (eventueel) ontbijt.

€	tot € 50
€€	€ 50–100
€€€	€ 100–150
€€€€	€ 150–200
€€€€€	vanaf € 200

Hotels op Oost-Madeira

Oasis Atlantic, Caniço de Baixo
Dit grote resort helemaal aan het einde van de hotelwijk in Caniço de Baixo heeft een fitnesscentrum, sauna, jacuzzi, hotelbusje en binnen- en buitenbaden. *Kaart J6 • 291-930100 • www.oasis atlantichotel.com • €€*

Royal Orchid, Caniço de Baixo
Het Royal Orchid, een van Caniço's nieuwste luxehotels, biedt nagenoeg alles wat u zou kunnen wensen in een resorthotel, inclusief kamers met een goed uitgeruste keuken en een balkon met zeezicht. *Travessa da Praia • Kaart J6 • 291-934600 • www. hotelroyalorchid.com • €€*

Inn and Art, Caniço de Baixo
De zoon van de Duitse kunstenaar Siegward Sprotte opende in 1991 deze 'hotelgalerie' als een plek waar kunstenaars konden logeren, schilderen en hun werk konden exposeren. De oorspronkelijke villa op de kliffen is sindsdien uitgebreid met enkele huizen vlakbij, die u kunt huren voor een self-cateringvakantie, inclusief auto. Restaurant, verwarmd zwembad, yoga en fitnesscentrum. *Rua Robert Baden Powell 61/62 • Kaart J6 • 291-938200 • www.innart.com • €€*

Galomar, Caniço de Baixo
Een lift verbindt het hoofdhotel met een uitgestrekt lido aan de voet van Caniço's oprijzende kliffen. Op het lido is de Manta Diving School gevestigd; nogal wat gasten komen dan ook hier om in het rijke zeereservaat rond het lido te duiken. *Ponta da Oliveira • Kaart J6 • 291-930930 • €€*

Estalagem Serra Golf, Santo António da Serra
Met zijn hoektoren en stenen balustrade is dit excentrieke huis uit de jaren 1920 gerenoveerd tot een ontspannend plattelandshotel, ideaal voor de golfbaan van Santo da Serra. *Casais Próximos • Kaart J4 • 291-550500 • www. serragolf.com • €€*

Estalagem do Santo, Santo António da Serra
Deze plattelandsherberg met binnenbad, tennisbaan en een mooie tuin vormt een prima uitvalsbasis voor de verkenning van het oosten van het eiland; ligt vlak bij de golfbaan van Santo da Serra. *Casais Próximos • Kaart J4 • 291-550-550 • www.enotel.com • €€*

Quinta do Furão, Santana
Vanuit de kamers in dit luxe moderne hotel hebt u een adembenemend uitzicht op de ruige Madeirese noordkust. Het hotel ligt op een kaap net buiten Santana midden tussen de wijngaarden van de Madeira Wine Company. Een bonus voor de gasten is de kans om op een rondleiding door de wijngaarden mee te gaan en zelfs met de oogst te helpen. Verwarmd buitenbad, sauna en fitness. *Achada do Gramacho • Kaart H2 • 291-570100 • www. quintadofurao.com • €€€*

Cabanas de São Jorge, São Jorge
De *cabanas*, of cabines, zijn *rondhovels* (ronde huizen) in Zuid-Afrikaanse stijl. Ze staan in een vredige tuin met een duizelingwekkend uitzicht vanaf de kliffen. Een uitstekende uitvalsbasis om het noorden te verkennen. *Beira da Quinta • Kaart H2 • 291-576291 • www. cabanasvillage.com • €€*

Solar de Boaventura, Boaventura
Smaakvol verbouwd klassiek Madeirees huis uit 1776. De kamers zijn ruim bemeten en het restaurant serveert lokale specialiteiten. *Serrão Boaventura • Kaart G2 • 291-860888 • www.solar-boaventura.com • €€*

Quinta do Lorde, Caniço de Baixo
Zowat de allerlaatste bewoning op het oostelijke schiereiland van het eiland. Het luxehotel heeft een eigen jachthaven, waar weekendzeilers uit Funchal en reizigers van beide kanten van de Atlantische Oceaan aanleggen. *Sítio da Piedade • Kaart J6 • 291-960200 • €€€€*

Links **Jardim Atlântico** Rechts **Quinta do Alto de São João**

Hotels op West-Madeira

Quinta do Estreito, Câmara de Lobos
Dit was ooit het belangrijkste wijnlandgoed in de regio. In het oude huis zijn nu gourmetrestaurant Bacchus, de Vintage Bar en de bibliotheek ondergebracht; de oude *adegas* (wijnhuis) huisvest restaurant Adega da Quinta, met een Madeirese boerenkeuken. De moderne gastenverblijven liggen verspreid over een mooie tuin met olijfbos en biologische moestuin. *Rua José Joaquim da Costa • Kaart F6 • 291-910530 • www.charminghotelsmadeira.com • €€€€*

Estalagem da Ponta do Sol, Ponta do Sol
Verruil de neonlichten van de stad voor het uitzicht op een zonsondergang vanuit dit stijlvolle klifhotel. Markante bruggen en torens verbinden de moderne gastenverblijven met de traditionelere bar en het glazen restaurant. Inclusief zwembad, fitnesscentrum en hotelbus. *Quinta da Rochinha • Kaart D5 • 291-970200 • www.pontadosol.com • €€*

Baía do Sol, Ponta do Sol
In 2002 werd de promenade in Ponta do Sol opnieuw ingericht om plaats te bieden aan dit hotel, dat heel slim alle oude façades heeft behouden die de door palmen omzoomde boulevard sinds de 19de eeuw hebben gesierd. *Rua Dr João Augusto Teixeira • Kaart D5 • 291-970140 • www.enotel.com • €€*

Quinta do Alto de São João, Ponta do Sol
Wanneer u hier uw raam openzet, hoort u alleen de bijen zoemen die druk aan het werk zijn in de hoofdtuin. Met een vast dagmenu en het attente personeel lijkt u wel een gast in het huis van een afwezige aristocraat. *Lomba de São João • Kaart D5 • 291-974188 • www.qasj.cjb.net • €€*

Jardim Atlântico, Prazeres
De afgelegen ligging maakt deel uit van de aantrekkingskracht van dit hotel. Gasten worden aangemoedigd om de kust en het omliggende platteland te verkennen. De kamers, compleet met keuken, zijn reusachtig. Met minimarkt. *Lombo da Rocha • Kaart B3 • 291-820220 • www.jardimatlantico.com • €€€*

Pousada dos Vinháticos, Serra de Água
Dit plattelandsherbergje ligt tussen twee van de meest majestueuze gebergten van het eiland. U kunt een dag op Madeira niet beter besluiten dan met een drankje op het hotelterras te zitten, terwijl de ondergaande zon de bergpieken in het westen rood kleurt. *Kaart E4 • 291-952344 • www.dorisol.pt • €€*

Residencial Encumeada, Serra de Água
Iets hoger in de vallei dan de Pousada dos Vinháticos trakteert dit moderne hotel, gelegen in een natuurlijk laurierbos, op fabuleuze vergezichten. Hier logeert u vlak bij enkele van de beste *levada*- en bergroutes op het eiland. *Feiteiras • Kaart E4 • 291-951282 • www.residencialencumeada.com • €*

Estalagem Eira do Serrado, Eira do Serrado
De noordgevel van dit kleine berghotel is van boven tot onder van glas. De eetgasten in het restaurant en de logés in de eenvoudig ingerichte kamers kunnen zodoende maximaal genieten van de spectaculaire uitzichten op de Curral das Freiras en de kliffen daaromheen *(blz. 30)*. *Kaart G4 • 291-710060 • www.eiradoserrado.com • €€*

Residencial Calhau, Porto Moniz
In Porto Moniz zijn genoeg nieuwere hotels met meer faciliteiten, maar bij geen daarvan staan de muren aan de zeekant zo pal aan de rotsige waterkant. Hier wiegt het kalmerende geluid van de golven u in slaap. *Sítio das Poças • Kaart B1 • 291-853104 • €*

Residencial O Farol, Ponta do Pargo
In dit eenvoudige hotel tussen het dorp en de kliffen, helemaal in het westen gelegen, kunt u heerlijk tot rust komen. *Salão de Baixo • Kaart A2 • 291-880010 • €*

Alle hotels accepteren creditcards en beschikken over kamers met eigen sanitair en airconditioning, tenzij anders is vermeld.

Selfcateringappartementen, Avenue Park

Prijsklassen

Voor een standaard-tweepersoonskamer per nacht, inclusief extra kosten en (eventueel) ontbijt.

€	tot € 50
€€	€ 50–100
€€€	€ 100–150
€€€€	€ 150–200
€€€€€	vanaf € 200

Selfcatering en budgethotels

Suite Hotel Eden Mar, Funchal

Het Eden Mar biedt betaalbare selfcatering in goed ingerichte kamers met een kleine keuken. U krijgt ook toegang tot een van de beste resortcomplexen van Madeira, het Porto Mare *(blz. 112)*. ✆ *Rua do Gorgulho 2 • Kaart G6 • 291-709700 • www.edenmar.com • €€€*

Monumental Lido, Funchal

De billijk geprijsde kamers in dit appartementenhotel in de hotelwijk hebben een aparte keuken en zitkamer; de slaapkamers kijken uit op een rustig atrium. Om de hoek zijn de winkels en het Lido. ✆ *Estrada Monumental 284 • Kaart G6 • 291-724000 • www.monumentallido.com • €€€*

Avenue Park, Funchal

De ruime, lichte en goed ingerichte appartementen in dit selfcateringpark, vlak bij het centrum van Funchal, zijn niets anders dan een koopje. De ondergrondse garage is een bonus. ✆ *Avenida do Infante 26D • Kaart Q1 • 291-205630 • www.madeiraapartments.com/avenuepark • €€*

Quinta Vale do Til, Campanário

Selfcatering op het platteland, met als groot pluspunt dat alles op het eigen landgoed ligt. Vier tweepersoonskamers bieden onderdak aan acht gasten. ✆ *Boa Morte, São João • Kaart E5 • 291-910530 • www.charminghotelsmadeira.com • €€*

Verhuurbureaus

Op twee sites vindt u koppelingen naar selfcatering-accommodaties die u per week kunt huren: Madeira Online en Madeira Island. Het Summer Bureau verstrekt details over appartementen, studio's en bungalows, merendeels in Caniço de Baixo. ✆ *www.madeiraonline.com • www.madeira-island.com • Summer Bureau: Rua D Francesco Sanatana, Caniço de Baixo • Kaart J6 • 291-934519*

Bed-and-breakfast

Trevor en June Franks hebben op Madeira bed-and-breakfast in Engelse stijl geïntroduceerd. Trejuno, hun pension, ligt halverwege Funchal en Monte. Wandeltips, gratis vliegveldtransfer en *inside information*. ✆ *Estrada do Livramento 94 • Kaart H5 • 291-783268 • www.tjwalking-madeira.com • €€*

Camping

Kamperen is verboden op Madeira, behalve op twee daarvoor aangewezen plaatsen. In Porto Moniz wordt momenteel druk gewerkt aan nieuwe faciliteiten. De tweede camping ligt op Porto Santo, naast het Torre Praiahotel; reserveren is raadzaam voor juli en augustus. ✆ *Toeristenbureau Porto Moniz: 291-850193 • camping Porto Santo: 291-982160 • €*

Budgetaccommodaties in Funchal

De volgende adressen zijn schone, rustige en goedkope *pensões, residenciais* en hotels in het hart van de stad. ✆ *Astória: Rua de João Gago 10 • Kaart P3 • 291-223820 • € • Do Centro: Rua do Carmo 20 • Kaart P4 • 291-200510 • € • Monaco: Rua das Hortas 14A • Kaart N4 • 291-222667 • € • Sirius: Rua das Hortas 29 • Kaart N4 • 291-226117 • € • Residencial Zarco: Rua da Alfândega 113 • Kaart P3 • 291-223716 • €*

Budgetaccommodaties buiten Funchal

Hortensia *(blz. 79)* biedt in zijn vredige tuinen goedkope accommodatie aan. Boa Vista *(blz. 56)* heeft een rietgedekte bungalow voor drie personen. Bij O Escondidinho das Canas in Santana kunt u in een traditioneel driehoekig huisje slapen. ✆ *Hortensia: www.madeiraisland.com/hotels/selfcateringapartments/hortensia • € • Boa Vista: Quinta da Boa Vista, Rua Lombo da Boa Vista, Funchal • Kaart H5 • 291-220468 • €€ • O Escondidinho das Canas: Pico António Fernandes, Santana • Kaart H2 • 291-572319 • €*

Agrotoerisme

Madeira Rural is een onlinebureau voor circa twintig adressen op het eiland, van verbouwde boerderijgebouwen tot cottages. ✆ *www.madeira-rural.com*

Register

D

E

F

G

Algemene uitdrukkingen

Noodgevallen

Help!	**Socorro!**	so-**ko**-roe
Stop!	**Páre!**	**páar'**
Bel een dokter!	**Chame um médico!**	**sjaam'** oeng **meh**-die-koe
Bel een ambulance!	**Chame uma ambulância!**	**sjaam'** oe-muh **añ**-boe-**lañ**-sie-uh
Bel de politie!	**Chame a polícia!**	**sjaam'** uh po-**lie**-sija
Bel de brandweer!	**Chame os bombeiros!**	**sjaam'** oesj bom-**bij**-roesj
Waar is de dichtstbijzijnde telefoon?	**Há um telefone aqui perto?**	**ah** oeng te-le-**foon'** ah-**kie pèr**-toe
Waar is het dichtstbijzijnde ziekenhuis?	**Onde é o hospital mais próximo?**	ond' **è** oe **osj**-pie-**tàl' maaisj prò**-sie-moe

Basiswoorden

Ja	**Sim**	**sieng**
Nee	**Não**	**naung**
Alstublieft	**Por favor/ Faz favor**	pòr fah-**vor** **fasj** fah-**vor**
Dank u	**Obrigado/da**	o-brie-**ga**-doe/dah
Pardon	**Desculpe**	disj-**koelp'**
Hallo	**Olá**	oh-**lah**
Tot ziens	**Adeus**	a-**deh**-oesj
Goedemorgen	**Bom-dia**	boñ **die**-oeh
Goedemiddag	**Boa-tarde**	**boh**-ah **taard'**
Goedenavond	**Boa-noite**	**boh**-ah **noit'**
Gisteren	**Ontem**	on-**teing**
Vandaag	**Hoje**	**oozj'**
Morgen	**Amanhã**	**ah**-man **ja**
Hier	**Aqui**	ah-**kie**
Daar	**Ali**	ah-**lie**
Wat?	**O quê?**	**oe** kè
Welke?	**Qual?**	**kwal'**
Wanneer?	**Quando?**	**kwañ**-doe
Waarom?	**Porquê?**	**por**-ki
Waar?	**Onde?**	**ònd'**

Nuttige zinnen

Hoe gaat het?	**Como está?**	**koh**-moe **sjtah**
Heel goed, dank u.	**Bem, obrigado/da.**	**bèing** o-brie **ga**-doe/dah
Prettig kennis met u te maken	**Encantado/da.**	eng-kàn-**ta**-doe/dah
Tot gauw.	**Até logo.**	ah-**tè loh**-goe
Oké.	**Está bem.**	**sjtah being**
Waar is/zijn...?	**Onde está/ estão...?**	**ond' sjtah/ sjtaung**
Hoe ver is het naar...?	**A que distância fica...?**	ah ki dis-**tan**-sija-**fie**-kah
Hoe kom ik naar...?	**Como se vai para...?**	**koh**-moe se **vaai** pa-rah
Spreekt u Engels?	**Fala Inglês?**	**fa**-lah ieng-**gleesj**
Ik begrijp het niet.	**Não compreendo.**	naung kom-prie-**en**-doe
Sorry.	**Desculpe.**	diesj-**koelp'**
Kunt u langzamer spreken alstublieft?	**Pode falar mais devagar por favor?**	**pohd'** fa-**lar maaisj** d'-ve-**gar** por fah-**vor**

Bezienswaardigheden

bibliotheek	**biblioteca**	bie-blie-oo-**teh**-kah
busstation	**estação de autocarros**	esjta-saung d'oh-too-**kah**-roosj
gesloten wegens vakantie	**fechado para férias**	fe-**sja**-doe pah-rah **feh**-rie-asj
kathedraal	**sé**	**sè**
kerk	**igreja**	ie-**gree**-zjah
museum	**museu**	moe-**zèh**-oe
toeristenbureau	**posto de turismo**	**posj**-toe de toe-**riesj**-moe
treinstation	**estação de comboios**	shta-**sowñ** d' koñ-**boy**-oosh
tuin	**jardim**	zjar-**dieng**
azulejo	ah-zoe-**leh**-joo	beschilderde tegels
Manuelino	ma-noe-el-**ie**-no	Manuelino (laatgotische architectuurstijl)

Nuttige woorden

groot	**grande**	**grand'**
klein	**pequeno**	pe-**keh**-noe
heet	**quente**	**kènt'**
koud	**frio**	**frie**-oe
goed	**bom**	**bong**
slecht	**mau**	**mauw**
genoeg	**bastante**	be-**stant'**
goed	**bem**	**being**
open	**aberto**	a-**bèr**-toe
gesloten	**fechado**	fe-**sjah**-doe
links	**esquerda**	**sjkèr**-dah
rechts	**direita**	die-**rei**-tah
rechtdoor	**em frente**	eing **frènt'**
vlakbij	**perto**	**pèr**-toe
ver	**longe**	**lonzj'**
(naar boven)	**suba**	**soe**-bah
(naar beneden)	**desça**	**dè**-sjoeh
vroeg	**cedo**	**sè**-doe
laat	**tarde**	**tahrd'**
ingang	**entrada**	eing-**tra**-dah
uitgang	**saída**	sa-**ie**-dah
toiletten	**casa de banho**	**kah**-za d' **ban**-joe
meer	**mais**	**maaisj**
minder	**menos**	**mè**-noesj

Winkelen

Hoeveel kost dit?	**Quanto custa isto?**	**kwan**-toe **koesj**-taj **isj**-toe
Ik wil graag ...	**Queria ...**	ke**ria**
Ik kijk alleen even.	**Estou só a ver obrigado/a.**	**sjtoo soh** ah **veer** o-brie-**gah**-doe/ah
Accepteert u creditcards?	**Aceita cartões de crédito?**	ah-**sei**-tah kar-**toinsj** de **krè**-die-toe?
Hoe laat gaat u open?	**A que horas abre?**	ah **ki oh**-rasj **ah**-bre?
Hoe laat gaat u dicht?	**A que horas fecha?**	ah **ki oh**-rasj **fe**-sjah?
deze	**este**	**esjt'**
die	**esse**	**ess'**
duur	**caro**	**kah**-roe

goedkoop	**barato**	bah-**rah**-toe
maat (kleding/ schoenen)	**número**	**noem'**-ro
wit	**branco**	**brañ**-koe
zwart	**preto**	**prè**-toe
rood	**roxo**	**rok**-sjoe
geel	**amarelo**	ah-muh-**rè**-loe
groen	**verde**	**vehrd'**
blauw	**azul**	ah-**zoewl'**

Soorten winkels

antiekwinkel	**loja de antiguidades**	**loh**-zjah de an-ti-gwie-**da** desj
apotheek	**farmácia**	far-**mah**-sie-jah
bakker	**padaria**	**pah**-dah-**rie**-jah
bank	**banco**	**bañ**-koe
banketbakker	**pastelaria**	pasj-te-le-**rie**-jah
boekwinkel	**livraria**	lie-vrah-**rie**-jah
kapper	**cabelereiro**	kabe-le-**rei**-roe
kiosk	**kiosque**	kie-**josjk'**
markt	**mercado**	mer-**kah**-doe
postkantoor	**correios**	koh-**rei**-oesj
reiswinkel	**agência de viagens**	ah-**zjen**-sjah de vie-**ah**-zjeings
schoenenzaak	**sapataria**	sah-pah-tah-**rie**-jah
slager	**talho**	**tah**-lyoo
supermarkt	**supermercado**	**soe**-per-mer-**kah**-doe
tabakswinkel	**tabacaria**	tah-bah-kah-**rie**-jah
viswinkel	**peixaria**	pei-sje-**rie**-jah

Verblijf in een hotel

Hebt u een kamer vrij?	**Tem um quarto livre?**	**teing** oeng **kwar**-too **lievr'**
kamer met bad	**um quarto com casa de banho**	oeng **kwar**-too kong **kah**-zah de **ban**-joo
douche	**duche**	**doesj**
eenpersoons-kamer	**quarto individual**	**kwar**-too ien-die-vie-doe-**wal'**
tweepersoons-kamer	**quarto de casal**	**kwar**-too de kah-**zàl'**
kamer met twee aparte bedden	**quarto com duas camas**	**kwar**-too kong **doe**-asj **kajh**-mashj
portier	**porteiro**	por-**tei**-roe
sleutel	**chave**	**sjaav'**
Ik heb gereserveerd.	**Tenho um quarto reservado.**	**ten**-joe oeng **kwar**-too re-ser-**va**-do

Uit eten

Hebt u een tafel voor?	**Tem uma mesa para ... ?**	**teing** oe-mah **meh**-zah pah-rah
Ik ben vegetariër.	**Sou vegetariano/a.**	Soo ve-zje-tah-rie-**ah**-noe/ah
Ober!	**Por favor!/ Faz favor!**	por fah-**vor** **faasj** fah-**vor**
Ik wil een tafel reserveren.	**Quero reservar una mesa.**	**kih**-roe re-zer-**vaar** oe-mah **meh**-zah
De rekening alstublieft	**A conta por favor/faz favor.**	ah **kon**-tah por fah-**vor**/ **faasj** fah-**vor**
het menu	**a lista**	ah **liesj**-tah
menu tegen vaste prijzen	**a ementa turística**	ah ee-**mèn**-tah toe-**riesj**-tie-kah
wijnkaart	**a lista de vinhos**	ah **liesj**-tah de **vien**-joesj
glas	**um copo**	oeng **koh**-poe
fles	**uma garrafa**	oe-mah gah-**ra**-fa
halve fles	**meia-garrafa**	**mei**-ja gah-**ra**-fa
mes	**uma faca**	oe-mah **fah**-kah
vork	**um garfo**	oeng **gar**-foe
lepel	**uma colher**	oe-mah kol-**jeer**
bord	**um prato**	oeng **pra**-toe
ontbijt	**pequeno-almoço**	pe-**ke**-noe-al-**mò**-soe
lunch	**almoço**	al-**mò**-soe
diner	**jantar**	zjan-**taar**
couvert	**couvert**	koe-**vèr**
voorgerecht	**entrada**	en-**trah**-dah
hoofdgerecht	**prato principal**	**prah**-toe prin-sie-**pàl'**
dagschotel	**prato do dia**	**prah**-toe doe **die**-jah
vast menu	**combinado**	kom-bie-**nah**-dooe
halve portie	**meia-dose**	mei-jah **dooz'**
dessert	**sobremesa**	**so**-bre-**meh**-zah
rare	**mal passado**	**mahl'** pah-**sah**-doe
medium	**médio**	**mè**-die-oe
doorbakken	**bem passado**	**being** pah-**sah**-doe

Het menu

abacate	ah-bah-**kaat'**	avocado
açorda	ah-**sor**-dah	dikke soep op brood-basis
açúcar	ah-**soe**-kar	suiker
água mineral	**aa**-gwah mie-ne-**ràl'**	mineraalwater
alho	**al**-joe	knoflook
alperce	al'-**perche**	abrikoos
amêijoas	ah-**mee**-zjoo-ahsj	schelpjes
ananás	ah-nah-**nasj**	ananas
anona	ah-**noh**-nah	appelpudding
arroz	ah-**rosj**	rijst
assado	ah-**sah**-doe	gebakken
atum	ah-**toeng**	tonijn
aves	**ah**-vesj	gevogelte
azeite	ah-**zeit'**	olijfolie
azeitonas	uh-zei-**toh**-nasj	olijven
bacalhau	bah-kahj-**jauw**	gedr. kabeljauw
banana	bah-**nah**-nah	banaan
batatas	bah-**tah**-tasj	aardappelen
batatas fritas	bah-**tah**-tasj **frie**-tasj	friet
batido	bah-**tie**-doe	milkshake
bica	**bie**-kah	espresso
bife	**bief**	biefstuk
bolacha	boe-**lah**-sjah	koekje
bolo	**bòh**-loe	taart
bolo de caco	**boh**-loe de **kah**-koh	Madeirees brood

caça	**kah**-sah	wild
café	kah-**fe**	koffie
camarões	kah-mah-**roings**	grote garnalen
carangueijo	kah-rang **gee**-zjoe	krab
carne	**karn'**	vlees
castanhas	kas-**tahn**-joesj	kastanjes
cebola	se-**boh**-lah	ui
cerejas	sehr-**ree**-zjas	kersen
cerveja	sehr-**vee**-zjah	bier
chá	**sjah**	thee
cherne	**sjern'**	zeebaars
chinesa	sjie-**neh**-zah	koffie verkeerd
chocolate	sjoh-koh-**laht'**	chocolade
chocos	**sjoh**-koesj	inktvis
chouriço	sjoh-**rie**-so	rode, pikante worst
churrasco	sjoo-**rasj**-koe	aan het spit
coelho	ko-**el**-jo	konijn
cogumelos	koo-goe-**mè**-loesj	paddenstoelen
cordeiro	kor-**deh**-roe	lam
cozido	koo-**zie**-doe	gekookt
dourada	doh-**rah**-dah	brasem
espada	(e)sj-**pah**-dah	zwaardvis
espetada	(e)sj-pah-**tah**-dah	Madeirese kebab
espadarte	(e)sj-pah-**dahr**-tah	zwaardvis
fiambre	fie-**ambr'**	ham
frango	**fran**-goe	kip
frito	**frie**-toe	gefrituurd
fruta	**froe**-tah	fruit
gambas	**gam**-bas	gamba's
gelado	zje-**lah**-do	ijsje
gelo	**zje**-loe	ijs
goiaba	gooi-**ah**-bah	guava
grelhado	grel-**jah**-doe	gegrild
kiwi	**kie**-wie	kiwi
lagosta	lah-**gohsj**-tah	kreeft
lapas	**lah**-pasj	zeeslakken
laranja	lah **rañ**-zjah	sinaasappel
leite	**leit'**	melk
limão	lie-**maung**	citroen
limonada	lie-moh-**nah**-dah	limonade
linguado	leng-**gwah**-doe	tong
lulas	**loe**-lasj	inktvis
maçã	mah-**seing**	appel
manga	**mahn**-gah	mango
manteiga	man-**tee**-gah	boter
maracujá	mahr-ah-koe-**zjah**	passievrucht
mariscos	mah-**riesj**-kosh	zeebanket
milho frito	**miel**-jo **frie**-toh	gefrituurde maismeelblokjes
morangos	moh-**rahn**-gosj	aardbeien
ostras	**osj**-trasj	oesters
ovos	**oh**-voesj	eieren
pão	**paung**	brood
pargo	**pahr**-goe	rode poon
pastel	pasj-**tèl'**	taart
peixe	**peisj'**	vis
pêssego	**pess**-eh-goe	perzik
pêssego careca	**pess**-eh-goe kah-**re**-kah	nectarine
pimenta	pie-**men**-tah	peper
polvo	**pohl'**-voe	octopus
porco	**por**-koe	varkensvlees
prego	**pre**-goh	broodje biefstuk
queijo	**kee**-zjoo	kaas
sal	**sal'**	zout
salada	sah-**lah**-dah	salade
salsichas	sahl-**sie**-sjesj	worst
sandes	**san**-desj	sandwich
sopa	**soh**-pah	soep
sumo	**soe**-moo	vruchtensap
tamboril	tam-boe-**ril'**	zeeduivel
tarte	**tart'**	taart/cake
tamarilho	tah-mah-**riel**-joo	tomarillo
tomate	too-**maht'**	tomaat
torrada	too-**rah**-dah	toast
tosta	**tohsj**-tah	geroosterd brood
vinagre	vie-**nah**-gre	azijn
vinho branco	**vien**-joe **brañ**-koe	witte wijn
vinho tinto	**veen**-joe **tien**-toe	rode wijn
vitela	vie-**teh**-lah	kalfsvlees

Getallen

0	**zero**	**zeh**-roe
1	**um**	**oeng**
2	**dois**	**doisj**
3	**três**	**tresh**
4	**quatro**	**kwa**-troe
5	**cinco**	**sieng**-koe
6	**seis**	**seisj**
7	**sete**	**set'**
8	**oito**	**oj**-toe
9	**nove**	**nov'**
10	**dez**	de-**esj**
11	**onze**	**ongz'**
12	**doze**	**doz'**
13	**treze**	**trez'**
14	**catorze**	ka-**torz'**
15	**quinze**	**kieñz'**
16	**dezasseis**	de-zah-**seisj**
17	**dezassete**	de-zah-**set'**
18	**dezoito**	de-**zoj**-toe
19	**dezanove**	de-zah-**nov'**
20	**vinte**	**vient'**
21	**vinte e um**	**vien**-**tie**-oeng
30	**trinta**	**trieng**-tah
40	**quarenta**	kwa-**ren**-tah
50	**cinquenta**	sien-**kwen**-tah
60	**sessenta**	se-**sen**-tah
70	**setenta**	se-**ten**-tah
80	**oitenta**	oj-**ten**-tah
90	**noventa**	noe-**ven**-tah
100	**cem**	**seing**
101	**cento e um**	**sen**-toe-ie-oeng
102	**cento e dois**	**sen**-toe-ie-**doisj**
200	**duzentos**	doe-**zen**-toesj
300	**trezentos**	tre-**zen**-toesj
400	**quatrocentos**	**kwa**-troe-**sen**-toesj
500	**quinhentos**	kie-**njen**-toesj
600	**seiscentos**	seisj-**sen**-toesj
700	**setecentos**	set'-**sen**-toesj
800	**oitocentos**	**oj**-toe-**sen**-toesj
900	**novecentos**	nov'-**sen**-toesj
1,000	**mil**	**miel'**

Tijd

een minuut	**um minuto**	oeng mie-**noe**-toe
een uur	**uma hora**	**oe**-mah **oh**-rah
halfuur	**meia-hora**	**meij**-ah **oh**-rah
maandag	**segunda-feira**	se-**goen**-dah-**fej**-rah
dinsdag	**terça-feira**	**ter**-sa-**fej**-rah
woensdag	**quarta-feira**	**kwar**-ta-**fej**-rah
donderdag	**quinta-feira**	**kien**-ta-**fej**-rah
vrijdag	**sexta-feira**	**sei**-sjta-**fej**-rah
zaterdag	**sábado**	**sah**-ba-toe
zondag	**domingo**	doe-**mieng**-goe

Dankbetuiging

De auteur
Christopher Catling heeft meer dan 50 reisgidsen geschreven, waaronder bestsellers als de Capitoolgidsen over Florence en Venetië. Hij heeft ook bijdragen geleverd aan de Capitoolgidsen over Portugal, Italië en Groot-Britannië. Als hij geen boeken schrijft, werkt hij als archeoloog en als erfgoedconsulent. Hij is een Fellow van de Society of Antiquaries en van de Royal Society of Arts, en lid van de British Guild of Travel Writers. Hij houdt van Madeira en bezoekt het eiland vaak om er te wandelen, en te genieten van het eten en de gastvrijheid van de eilanders.

Speciale dank voor hun waardevolle hulp gaat uit naar Isabel Góis bij het toeristenkantoor van Madeira in Funchal en naar Elsa Cortez bij het Portugese verkeersbureau in Londen.

Geproduceerd door
DP Services, onderdeel van DUNCAN PETERSEN PUBLISHING LTD, 31 Ceylon Road, Londen W14 0PY

Projectredactie Chris Barstow
Ontwerp Ian Midson
Fotoresearch Lily Sellar
Research attracties Tomas Tranæus
Index Hilary Bird
Proeflezer Yoko Kawaguchi
Hoofdfotograaf Antony Souter
Aanvullende fotografie Linda Whitwam
Illustrator Chapel Design & Marketing
Kaarten John Plumer, JP Map Graphics

Cartografie
Basiskaart Madeira afgeleid van toeristenkantoor Madeira, www.madeiratourism.org

Voor Dorling Kindersley
Uitgever Douglas Amrine
Hoofd beeldredactie Tessa Bindloss
Hoofd cartografie Casper Morris
Hoofd DTP Jason Little
Productie Linda Dare
Beeldbibliothecaris Romaine Werblow
Revisiecoördinator Mani Ramaswamy
Assistent revisiecoördinator Mary Ormandy
Ontwerp en redactie-assistentie Sangita Patel, Marianne Petrou, Tomas Tranæus.

Fotoverantwoording
Plaatsing: b-boven; bm-boven midden; bl-boven links; br-boven rechts; mlb-midden links boven; mb-midden boven; mrb-midden rechts boven; ml-midden links; m-midden; mr-midden rechts; mlo-midden links onder; mo-midden onder; mro-midden rechts onder; ol-onder links; om-onder midden; or-onder rechts; o-onder.

We hebben onze uiterste best gedaan om alle rechthebbenden te achterhalen. Onze excuses voor gevallen waarin dit niet is gelukt. In een volgende uitgave zullen we graag de rechthebbende(n) onze dank betuigen.

De uitgever bedankt de volgende personen, bedrijven en beeldbibliotheken voor de toestemming om hun foto's te reproduceren:

ALAMY: Robert Harding Picture Library 32–33m; Ernst Wrba 29o; MADEIRA TOURISM: 30o, 54bl, 54br, 55ol, 55mr; MARTIN SIEPMANN: 23o, 33mrb; MARY EVANS PICTURE LIBRARY: 37br, 37ol; MICHELLE CHAPLOW: 61br, 61or; MUSEU DE ARTE SACRA DO FUNCHAL: 10o; NATIONAL MARITIME MUSEUM, LONDEN: 36m; POWERSTOCK: 54ml; PRISMA: 92–93; THE SAVOY RESORT, Funchal, eiland Madeira: Alle rechten voorbehouden. 112br; TOMAS TRANÆUS: 71; TOPFOTO: 37mr, 37or.

Voor fotoverantwoording kaft zie de inhoudsopgave.

Alle andere afbeeldingen
© Dorling Kindersley.
Voor meer informatie zie
www.dkimages.com

Kort plaatsenregister